P9-DJK-208

# 치유하는 고해성사

# 치유하는 고해성사

스콧 한 지음 | 강우식 옮김

치유하는 고해성사

2007년 8월 6일 교회인가
2007년 9월 5일 1판 1쇄 발행
2008년 7월 15일 1판 6쇄 발행
2014년 3월 25일 2판 8쇄 발행

지은이 | 스콧 한
옮긴이 | 강우식
펴낸이 | 이순규
펴낸곳 | 바오로딸

142 - 704 서울 강북구 오현로7길 34
등록 | 제7 - 5호 1964. 10. 15.
전화 | 02) 944 - 0800 팩스 | 984 - 3612

취급처 | 중앙보급소
전화 | 02) 984 - 3611 팩스 | 984 - 3612


값 9,500원

이메일 | edit@pauline. or. kr
인터넷 서점 | www. pauline. or. kr
통신판매 | 02) 944 - 0944 ~ 5
ISBN 978 - 89 - 331 - 1007 - 2 03230

*Lord, Have Mercy: The Healing Power of Confession*
by Scott Hahn

Originally published by Doubleday, New York, U.S.A.

## 한국의 독자들에게

「치유하는 고해성사」를 통해 한국 독자들을 만나게 되어 반갑습니다. 이 책을 읽는 모든 이가 그 내용에 깊이 맛들이길 바랍니다.

고해성사는 하느님의 자애로운 사랑을 맛보게 하며 끊임없이 우리 삶을 새롭게 이끌어 줍니다. 고해성사는 걱정이 많고 불확실한 시대에 영적 성장을 이루는 열쇠입니다.

하느님은 우리를 너그럽게 용서하시고 우리의 아픔을 치유하시며 순간순간을 새롭게 해주시려고 늘 기다리고 계십니다. 하느님의 은총은 어디에나 넘쳐흐릅니다. 모든 것, 특히 고해성사를 통해 용서해 주시겠다는 약속은 하느님께서 거저 주시는 은총의 선물입니다.

고해성사의 치유력을 체험하고 충만한 신앙생활을 하도록 초대하는 이 책 구석구석에 담긴 메시지를 널리 나누고 싶습니다.

2007년 스콧 한

# 차례

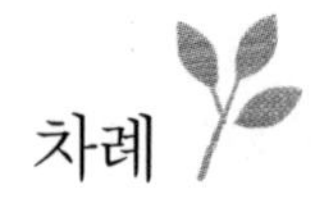

모든 것이 함께 작용하여 선을 이룬다.(로마 8,28)

# 1 이해하기

대부분의 천주교 신자들에게 고해성사는 혼란스러움 그 자체다. 고해성사가 필요할수록 성사 보기를 더 피한다. 죄를 지을수록 자신의 죄과에 대해 말하기를 꺼린다.

자신이 저지른 도덕적 잘못을 솔직하게 인정하는 것은 결코 쉬운 일이 아니다. 당신이 월드 시리즈 결승전 패전 투수라면 탈의실로 향할 때 스포츠 기자들의 질문이 반가울 리 없다. 가족이나 친지에게 자본을 빌려 사업하다가 파산하게 되었다면 당신의 실수로 빚어진 그 참담한 사건에 대해 공공연히 이야기하지 않을 것이다.

살아가면서 정말로 수치스러워해야 할 것이 있다면 그것은 자신이 저지른 죄일 것이다. 죄란 전능하신 하느님을 거역하고 배반하는 일이기 때문이다. 그것은 사업 실패나 야구시합에서 실투失投하는 것보다 훨씬 심각한 문제다. 우리가 죄를 짓는 것은 하느님의 사랑을 거부하는 것이다. 사실 우리는 하느님께 아무것도 숨길 수 없다.

### 자기 기만

하느님의 대리자인 사제 앞에 무릎을 꿇고 적당히 얼버무리거나 핑계대지 않고 분명하게 자기 죄를 고백하는 것은 생각만 해도 몸이 움츠러든다. 이러한 반응은 자연스런 일이며 '내 탓이오!' 하는 것은 쉬운 일이 아니다. 그러나 그것이 고해성사의 본질이다.

고백하기를 두려워하는 것은 자연스런 일이다. 그러나 '자연스러움'만 가지고는 하늘나라에 갈 수 없으며, 이 세상에 사는 동안 행복할 수도 없다. 하늘나라는 초자연적 세계다. 하늘나라는 인간의 본능 그 너머에 있으며 그곳에서는 원초적 행복이 덧없기만 하다. 우리의 본능은 어려움을 피하고 즐거움을 취하려 하지만 옛 지혜는 '고생 없이는 낙도 없다.'고 가르친다.

자기 죄를 소리 내어 고백하는 일이 아무리 고통스럽다 해도 자기에겐 죄가 없다고 하거나 있더라도 상관없다는 듯 살아감으로써 자초하게 될 고통에 비하면 아무것도 아니다. 성경은 우리가 죄 없다고 말한다면 자신을 속이는 것(1요한 1,8)이라고 한다.

자기 기만 그 자체로도 역겨운 것이지만 우리가 안고 있는 많은 문제가 거기에서 비롯된다. 자기 죄를 부정한다는 것은 곧 거짓된 삶을 살기 시작했음을 의미한다. 말이나 생각으로 자신의 잘못에 대한 책임을 부정함으로써 그 결과를 인정하지 않는 것이다. 한두 번 이런 일을 저지르게 되면 자신도 모르는 사이에 양심이 마비되어 진실이 무엇인지도 알지 못하게 된다. 자신이 잘못한 것이 무엇인지도 모르면 일상생활과 건강과 인간관계에도 영향을 미친다. 나아가 하느님과의 관계도 나빠진다.

이러한 표현이 지나친 것일 수도 있다. 그래서 심하게 과장하는 게 아니냐고 생각할지도 모르겠다. 이 책을 읽고 내 말이 옳다는 것을 알게 되길 바란다. 나는 하느님을 만나기 오래전부터, 고해성사를 보기 오래전부터 쓰라린 고통을 겪으면서 그것을 깨닫기 시작했다.

## 도둑질

십대 초반에 나는 어떤 부모라도 걱정할 만한 못된 아이들과 어울려 다닌 적이 있다. 우리 일당은 짓궂은 장난을 일삼다 도둑질까지 하게 되었다. 한동안 대형 할인점에서 물건을 슬쩍 하는 일이 토요일 오후의 소일거리였다. 하루는 음반을 훔치다가 현장에서 붙잡혔다. 이후 겪은 일들을 미주알고주알 늘어놓지는 않겠다. 단지 나는 좀도둑보다는 거짓말하는 데 소질이 있었다는 것만 밝힌다.

나는 중년 여성으로 보이는 할인점 보안요원 두 명에게 끌려

갔는데 내 꼴이 참 가련해 보였을 것이다. 당시 8학년인 나는 반에서 키가 가장 작았으며 열세 살이었지만 열 살 정도밖에 보이지 않았다. 한 보안요원이 나를 내려다보며 말했다. “도둑질하기에는 너무 어려 보이네. 네가 가지려고 저 음반들을 훔쳤니?”

보안요원이 무심코 한 말을 듣는 순간 빠져 나갈 구실을 찾은 나는 그 지역 비행 청소년이며 마약 복용자로 알려진 일당이 시켜서 한 짓이라고 꾸며댔다. 그들이 시키는 대로 하지 않으면 나와 친구들이 두들겨 맞을 것이라는 말도 덧붙였다.

보안요원 아줌마는 모성 본능에서 의분에 찬 표정으로 말했다. “저런 못된 놈들! 어떻게 그럴 수가 있어? 네 엄마한테 말하지 그랬니?”

“겁이 나서 못했어요.” 나는 기어 들어가는 소리로 말했다.

얼마 후 경찰이 도착했고, 나는 진짜 잘못은 그 비행 청소년들에게 있음을 보안요원 아줌마의 적극적인 도움을 받아 간략하게 설명했다. 그리고 경찰은 어머니가 상심하지 않도록 자초지종 설명까지 했다.

## 풀려남

잠시 후 풀려난 나는 집 앞에 차가 멈춰 섰을 때 피곤하다고 웅얼거렸다. 나는 가여운 듯 바라보는 어머니를 뒤로하고 곧바로 방으로 들어가 문을 닫았다.

아래층에서 부모님이 주고받는 소리가 어렴풋이 들렸다. 무슨 말을 하는지 잘 들리지는 않았지만 사분사분한 어머니의 목소리와는 달리 아버지의 언성이 점점 높아지는 것을 알 수 있었다. 어째 조짐이 좋지 않았다.

곧이어 계단을 올라오는 아버지의 묵직한 발소리가 들렸다. 그리고 노크 소리를 들었다기보다는 온몸으로 느꼈다고 해야 옳을 것이다.

아버지는 내 눈을 똑바로 보더니 이내 바닥 한 지점에 시선을 고정했다.

"엄마한테 오늘 있었던 얘기 다 들었다."

나는 고개를 끄덕였다.

아버지는 뚫어지게 바라보며 물었다. "누가 시켜서 어쩔 수 없이 그 음반들을 훔쳤다고?"

"네."

아버지는 또다시 뚫어지게 쳐다보며 물었다. "누가 시켜서 어쩔 수 없이 훔쳤어?"

다시 고개를 끄덕이며 힐끔 보니 아버지는 전축 옆에 쌓여 있는 음반을 보고 있었다.

또다시 나를 쳐다보며 말했다. "음반을 훔쳐서 어디에 놓아두기로 했다고?"

"나무 그루터기요. 할인점 근처에 있는 숲 있잖아요."

"그 나무 그루터기가 어디 있는지 보여줄 수 있겠니?"

나는 다시 고개를 끄덕였다.

"좋아. 외투 걸치고 그곳으로 안내해라." 아버지가 말했다.

### 그만 돌아가자!

숲은 집에서 300미터쯤 떨어진 곳에 있었고, 대형 할인점은 그 숲을 지나 700-800미터 떨어진 곳에 있었다. 나는 그곳 숲이 무성해 그루터기 한두 개쯤은 있으리라 생각했다. 그중 하나를 지목하기만 하면 될 일이었다.

숲속에는 나무와 나뭇잎, 심지어 부러진 나뭇가지까지 있었지만 그루터기는 눈에 띄지 않았다. 아버지는 뒤따라왔기 때문에 내가 절박한 심정으로 주변을 살피는 것을 눈치 채지 못한 것 같았다. 어느 새 숲이 끝나는 데 이르자 머릿속이 하얘졌다.

나는 당황해 할인점 쪽을 가리키며 말했다. "저기요, 저기가 녀석들이 본드를 흡입하던 곳이에요."

"그러냐?" 아버지가 말했다. "그런데 그 나무 그루터기stump는 어디 있다는 거냐?"

"저기, 저쪽에 흙을 쌓아놓은 곳 보이시죠? 저 낮은 둔덕clump이오."

아버지가 홱 돌아보았다. "넌 분명 그루터기라고 했는데."

나는 얼버무렸다. "그루터기stump가 아니고 둔덕clump이라고…."

"그루터기와 둔덕이라…". 아버지는 두 마디를 천천히 되뇌었다. 나는 아버지가 불같이 화를 내며 거짓말쟁이라고 소리칠 줄 알았다. 하지만 아버지는 "그만 돌아가자!"라고만 할 뿐이었다.

집으로 돌아오는 시간은 정지된 것 같았다. 마치 영원처럼 느껴지던 그 시간 동안 아버지는 아무 말도 하지 않았다. 아버지가 차라리 화를 냈더라면…. 아버지의 침묵에 숨이 막힐 것 같았다.

집에 도착해 아버지가 현관문을 닫았다. 아버지는 웃옷과 신발을 벗고 나서 위층으로 올라갔다.

잠시 후 나도 이층 내 방으로 들어가 문을 닫았다. 나는 하나도 기쁘지 않았다. 할인점의 두 보안요원과 경찰관, 그리고 어머니까지 완벽하게 거짓말로 속였다. 하지만 자축할 기분이 아니었다. 나는 전혀 새로운 경험을 하고 있었다. 바로 그때 나는 사람이 마음을 가지고 있다는 것이 무엇을 의미하는지 깨닫기 시작했다. 아버지가 내 말을 믿어주지 않았기 때문에, 그리고 사랑하는 아들이 거짓말을 하고 도둑질을 했다는 사실을 알고 있다는 것 때문에 나는 말할 수 없는 수치심을 느꼈다.

양심에 대한 것만 깨달은 것이 아니었다. 그것은 인간관계에 대한 새로운 발견이었다. 그때까지 나에게 아버지는 판사 · 배심원 · 형 집행관이었다. 내가 무슨 잘못을 저지르면 으레 아버지에게 들켜 재판을 받고 벌 받을 것을 두려워했다. 하지만 그날 나는 아버지를 화나게 하는 일보다 더 못된 일이 있다는 것을 알게 되었고, 그 사건이 아버지를 몹시 상심하게 한 것도 알게 되었다. 그런 나 자신이 미웠다.

## 사실 왜곡

아버지는 그리 열심한 신자는 아니었다. 아버지가 과연 하느님을 믿는지도 확실히 몰랐다. 나중에 조금씩 알게 된 것이지만, 그날 내 방에 앉아 있으면서 나는 아버지에게 하느님의 부성을 느꼈다. 아버지가 아니었으면 내가 한 거짓말과 실수가 잘못된 것임을 깨닫지도 바로잡지도 못했을 것이다. 나의 '성공적인' 거짓말과 도둑질이 더 이상 자랑스럽지 않았다. 죄를 지은 자신이 수치스러웠고 말할 수 없이 외로웠다.

그 순간에 내가 그리스도께 돌아섰더라면 얼마나 좋았겠는가? 다마스쿠스로 가는 길에 예수님을 만났던 사도 바오로처럼 기적적인 회개를 했더라면 얼마나 좋았겠는가? 하지만 내게 그런 일은 일어나지 않았다. 그런데도 그 순간 난 깨달음을 얻었고 새롭게 시작할 수 있었다.

사람들은 대부분 비행 청소년이었던 나와는 다른 청소년기를 보냈을 것이다. 하지만 알리바이를 만드는 일에 관한 한 어느 정도 공감할 것이다. 아담과 하와 때부터 사람은 누구나 그러한 잘못을 저질러 왔다. 때로는 사소한 일에서, 때로는 중요한 일에서 내 탓을 다른 사람에게 돌린다. 일상적인 대화를 하거나 공상을 하면서도 우리는 그런 잘못을 저지른다. 사회생활이든 가정생활이든 자신이 겪은 곤란한 일을 설명할 때 자신에게도 책임이 있음을 가능한 한 자세히 언급하는가, 아니면 자신을 영웅이나 무력한 피해자로 묘사하는가?

이런 일이 생겼을 때 어떤 식으로 묘사하는지 곰곰이 생각해보면, 자신의 과오는 묵과한 채 피해를 과장하며 남의 과오를 극대화하는 경향이 있다. 자신이 저지른 잘못이나 실수에 대해서는 변명을 늘어놓거나 책임에서 벗어나기 위해 구실 찾기에 바쁘면서도 이웃이나 동료들의 실수에 대해서는 매우 엄격하다. 흔히 친구나 가족은 내 입장에서 하는 이야기를 믿어주는 경향이 있다. 그러다 보니 스스로도 그렇게 믿는 일이 다반사다.

어떤 사람들은 이 모든 것이 우리가 고해성사를 꺼려하는 것과 마찬가지로 '지극히 자연스러운 현상'이라고 할지 모르겠다. 하지만 그건 전혀 자연스러운 것이 아니다. 사실을 왜곡하는 것은 자연스러움을 파괴하고 사물을 파괴한다. 다시 말해 사물 본래의 모습과 인과관계라는 자연의 섬세한 망網을 해치고 자신이 원하는 모습, 곧 사물의 허상(공중누각)으로 대체하는 것이다.

## 왜곡된 기억

필자가 좋아하는 철학자 요셉 피퍼는 '왜곡된 기억'이 인간의 영적 · 도덕적 삶의 '근본'을 해치기 때문에 우리가 가장 경계해야 할 것의 하나는 '각색하기 · 뒤바꾸기 · 퇴색시키기 · 생략하기 · 어감을 달리하기 등을 통해 기억을 왜곡시키는 것이라고 했다. 왜곡하는 것은 오류를 사실로 굳히는 가장 교활한 방법'이기 때문이다.

사실을 왜곡시키기 시작하면 우리는 현실을 제대로 보지 못하고 핵심을 놓치게 된다. 세상을 더 이상 이해할 수 없게 되고 인간관계도 소원해지고 목적의식이나 자의식마저 잃어버린다.

다시 한 번 강조하지만 이는 누구나 저지르는 잘못이지만 당연하게 생각해서는 안 된다. 누구나 이러한 행동에 대한 불편함을 느끼기 마련이다. 그렇다면 진단하기 어려울 만큼 알아차리기 어려운 질병과 같은 불편함을 어떻게 극복할 수 있을까? 요셉 피퍼도 그것은 힘든 과제라고 했다. "그것은 감지하기 어렵기 때문에 그만큼 위험성도 크다. …그러한 왜곡은 양심 성찰을 해도 쉽게 나타나지 않는다. 정직한 기억은 오직 전인적으로 정직할 때만 가능하다."

정말 무리한 요구다. 하지만 성인들의 삶에서 보듯이 불가능한 것만은 아니다. 하느님은 우리 각자가 솔직하길 바라신다. 예수님도 말씀하셨다. "그러므로 하늘의 너희 아버지께서 완전하신 것처럼 너희도 완전한 사람이 되어야 한다."(마태 5,48) 하느님이 명하신 것이니 이를 실행할 능력도 주실 것이다. 이 말씀을 통해 예수님은 우리에게 주실 능력의 원천까지 밝히셨다. 그것은 곧 하느님의 부성父性이다. '아버지께서 완전하신 것처럼 너희도 완전한 사람이 되어야 한다.'

십대 시절에 하느님 아버지를 늘 의식하면서 매순간을 살았다면 상점의 물건을 훔치지도 않았을 것이며 아버지에게 거짓말을 하지도 않았을 것이다.

하느님은 우리 아버지시고 우리는 단 한순간도 그분의 시선을 피할 수 없다. 그런데도 여전히 죄를 짓는다. 마치 엄마가 보이지 않으면 엄마도 자기를 안 본다고 생각하고 먹지 말라고 한 과자상자에 손을 대는 어린애처럼 행동하는 것이다.

우리는 늘 하느님의 현존 안에서 살아가며, 그분은 우리가 완전해지기를 바라신다. 아버지가 자식에게 일을 시킬 때 거기에 필요한 도구까지 주듯이 전지전능하신 하느님 아버지도 그리하시리라.

중요한 것은 하느님의 현존을 의식함으로써 항상 그분의 심판을 받는다는 걸 깨닫는 것이다. 물론 하느님은 판사처럼 군림하시지는 않는다. 그분은 세상의 아버지들처럼 사랑으로 심판하신다. 물론 이렇게도 저렇게도 해석될 수 있을 것이다. 아버지가 자식에게 바라는 것은 판사가 피고인에게 요구하는 것보다 크겠지만 다른 한편으로 아버지는 역시 판사들보다 더 큰 자비를 베풀 테니까.

## 막다른 길

우리는 하느님의 품 안에서 평화를 누리고 싶어하면서도 그분께 등을 돌리기가 훨씬 쉽다고 속삭이는 내면의 어두운 음성에 귀를 기울인다. 비밀이나 거짓 없이 진실하게 살고 싶어하면서도 자신의 죄를 고하지 않고 덮어두는 것이 낫다고 속삭이는 내면의 어두운 음성에 귀를 기울인다.

"사람에게는 바른길로 보여도 끝내는 죽음에 이르는 길이 있다."(잠언 14,12) 어떤 길이 죽음에 이르는 막다른 길일까? 그것은 아무리 바른길처럼 보이더라도 하느님이 바라시는 방법으로 죄를 고백하지 못하도록 이끄는 길이다. 애석하게도 인류는 태초부터 그 길을 걸어왔다.

# 2 회개의 깊은 뿌리

고해성사는 천주교회만의 것이라고 생각하는 사람들이 많다. 어떤 의미에서는 맞는 말이다. 고해성사는 새로운 계약의 성사로서 예수께서 당신 피로 그 계약을 보증하심으로써 제정되었기 때문이다.(마태 26,28) 하지만 예수께서도 충실하게 따르셨던 이스라엘의 전통을 따르면 계약의 제정에는 항상 죄의 용서를 위한 조항이 포함되어 있었다.

고해성사는 마치 씨앗에서 싹이 돋고 꽃봉오리가 맺히듯이 처음부터 존재했으며 구약성경 안에서 얼마든지 찾아볼 수 있다. 이 세상에 죄가 들어온 이후 우리는 죄를 고백하고 회개하며 화해하게 되었다.

성경을 펼쳐 처음부터 읽어보라. 읽기 시작한 지 얼마 되지 않아 고해성사를 예시하는 부분을 만나게 될 것이다. 바로 최초의 남녀가 지은 원죄에 대한 부분이다.

## 숨바꼭질

아담과 하와가 죄를 지었다. 그들이 지은 죄의 본질에 대해서는 나중에 다루겠다. 그들의 죄, 곧 하느님께 순종하지 않았음을 아는 것만으로 충분하다. 하느님은 그들의 창조주요, 아버지였다. 그런데 그들은 그분의 유일한 명령을 어겼다. "너는 동산에 있는 모든 나무에서 열매를 따 먹어도 된다. 그러나 선과 악을 알게 하는 나무에서는 따 먹으면 안 된다. 그 열매를 따 먹는 날, 너는 반드시 죽을 것이다."(창세 2,16-17)

그들은 간교한 뱀의 유혹에 넘어가 그 열매를 따 먹었다. 그 순간 그들은 모든 것이 예전 같지 않음을 알게 되었다. 그리고 자신들이 알몸인 것을 알고 수치심을 느꼈다. 모든 것이 두려웠다. "그들은 주 하느님께서 저녁 산들바람 속에 동산을 거니시는 소리를 들었다. 사람과 그 아내는 주 하느님 앞을 피하여 동산 나무 사이에 숨었다."(3,8) 이것이 바로 앞에서 설명했던 우리네 모습이다. 아담과 하와는, 모르는 것이 없으며 사람의 속마음까지 속속들이 들여다보시는 하느님의 눈을 피해 수풀 사이에 몸을 숨긴다.

자, 그럼 하느님은 어떻게 행동하시는가? 하늘에서 천둥과 같은 음성으로 "나는 다 보았다!"고 하시는가? 아니다. 오히려 아담과 하와의 '눈높이'에 맞추신다. 하느님이 아담을 부르신다. "너 어디 있느냐?"(3,9) 마치 그들이 어디 있는지 모른다는 듯이 말이다.

아담은 둘러댄다. "동산에서 당신의 소리를 듣고 제가 알몸이기 때문에 두려워 숨었습니다."(3,10) 놀랍지 않은가. 단 몇 마디로 그는 자신이 느끼는 두려움, 수치심, 자기 변호, 자기 연민을 표현한다. 그러나 거기에 통회는 없다. 오히려 아담은 돌연 위협적으로 느껴지는 하느님의 권능을 의식하고는 그분을 탓하는 듯하다.

하느님은 다시 물으신다. "네가 알몸이라고 누가 일러주더냐? 내가 너에게 따 먹지 말라고 명령한 그 나무 열매를 네가 따 먹었느냐?"(3,11)

아담은 주저없이 아내 탓으로 돌린다. "당신께서 저와 함께 살라고 주신 여자가 그 나무 열매를 저에게 주기에 제가 먹었습니다."(3,12)

하느님은 아직도 심판하지 않으시고 이번에는 여자에게 물으신다. "너는 어찌하여 이런 일을 저질렀느냐?"(3,13)

전능하신 하느님이 네 번에 걸쳐 짤막한 질문을 하신다. 대체 그분의 의도가 무엇일까? 하느님이 전지전능하다면 당신이 던지신 질문의 답을 이미 아실 텐데 말이다. 뱀에게 속고 자기 기만에 빠져 있는 그들보다 더 잘 알고 계실 텐데 말이다. 그렇다면 하느님이 그들에게 바라시는 것은 무엇일까?

본문에 잘 드러나듯이 하느님은 그들이 진심으로 애통해하며 죄를 고백하기를 바라신다. 먼저 스스로 설명할 기회를 주시고,

점점 구체적으로 묻다가 마침내 하와에게 어쩌다 그런 짓을 저질렀느냐고 단도직입적으로 물으신다. 그러나 달래고 심문조로 물어도 여전히 '고백'은 하지 않는다. 아담은 자기가 저지른 행위에 대해 책임지기보다 오히려 아내를 탓하고 급기야는 하느님을 탓하기에 이른다. '당신께서 저와 함께 살라고 주신 여자가 그 나무 열매를 저에게 주기에 제가 먹었습니다.'

앞에서 말했듯이 사람은 고백할 필요가 절실할수록 고백하기를 더 꺼리는 경향이 있다. 그들과 마찬가지로 그 후손인 인류도 그랬다.

## 적반하장

아담과 하와의 직계 후손, 맏아들 카인을 보자.

카인은 시기심에 인류 역사상 첫 살인을 저지른다. 카인이 살인을 저지르고 나서 곧이어 하느님이 물으신다. "네 아우 아벨은 어디 있느냐?"(4,9)

여기서도 하느님은 정보를 얻고 싶으신 것이 아니다. 아벨의 행방에 대해 알려드리지 않아도 하느님은 이미 다 아신다. 하느님은 카인한테도 죄를 고백할 기회를 주신다.

그러나 카인은 하느님이 주신 기회를 내친다. 도리어 동생 아벨이 어디 있는지 모른다며 거짓말을 한다. "제가 아우를 지키는 사람입니까?"

다시 한 번 하느님은 카인을 비난하거나 나무라는 대신 죄를 고백하도록 유도하신다. 심지어 그 범죄의 단서까지 내비치신다. "네가 무슨 짓을 저질렀느냐? 들어 보아라. 네 아우의 피가 땅바닥에서 나에게 울부짖고 있다."(4,10)

어쨌든 카인은 끝까지 회개하지 않았고 죄를 고백하지 않았다. 오히려 자기가 아벨의 희생물이 되었다며 하느님을 탓한다. "그 형벌은 제가 짊어지기에 너무나 큽니다."(4,13) 그의 이러한 불평은 단지 '자기 연민'이 아니라 심판자이신 하느님께 "당신이 부당합니다." 하고 말하는 것이다. 카인은 자신의 부당함을 고백하기는커녕 하느님을 부당하다며 비난한다.

그러고는 하느님이 자신의 즐거움과 생계 수단을 빼앗았다며 원망한다. "당신께서 오늘 저를 이 땅에서 쫓아내시니, 저는 당신 앞에서 몸을 숨겨야 하고…."(4,14) 그뿐 아니라 카인은 하느님이 자신을 살인자들이 득실거리는 세상에 내버리셨다며 비난하기까지 한다. "세상을 떠돌며 헤매는 신세가 되어, 만나는 자마다 저를 죽이려 할 것입니다."(4,14)

굳이 정신과 의사가 아니라도 카인의 마음의 움직임을 파악하는 건 그리 어려운 일이 아니다. 카인은 아벨이 희생당한 일을 당연한 것으로 여기며 자신의 죄책감을 하느님께 투사한다. '나는 이제 생계 수단을 잃었습니다. 하느님과의 관계도 깨졌습니다. 앞으로는 부당하게 고통을 받게 되었습니다.' 나아가 그는 세상 모든 사람을 살인자로 취급하고 있다. 살인을 저지른 건 자기가 처음인데도 말이다. 아담과 하와가 그랬던 것처럼 카인도 두려움과 수치심, 방어적 자세, 자기 연민과 같은 감정을 보이지만 결코 잘못했다거나 후회한다는 말은 하지 않는다. 한마디로 자기 죄를 인정하지 않는다.

## 원망

카인의 행동은 그리 낯설지 않다. 긴 세월이 흘렀는데도 사람들이 자기 잘못에 대해 책임지지 않으려는 모습은 그때나 지금이나 별반 다를 게 없다. 책임을 회피하는 방식도 달라진 것이 없다. 회개하지 않는 사람들은 누군가를 원망하게 된다. 자기 잘못을 인정하지 않는 사람들은 어떻게든 책임을 회피하려는 기발한 방법을 생각해 낸다. 그들, 아니 우리는 자신이 처한 상황과 능력의 한계, 전통이나 관례, 주변 환경을 탓한다. 하지만 그렇게 함으로써 결국에는 아담과 하와의 행동을 그대로 답습한다. 하느님을 탓하면서 그분을 원망의 대상으로 삼는다. 자기가 처한 상황과 유전과 환경을 제공한 장본인이 바로 하느님이라고 생각하기 때문이다.

죄과가 쌓일수록 자기 죄를 언급하는 것을 더 꺼린다. 고백할 필요가 절실할수록 오히려 고백하기를 더 꺼린다. 카인이나 아담, 하와처럼 우리는 그 무엇이든, 예를 들어 원인과 결과, 비난과 징벌과 같은 것을 대화의 소재로 삼지만 고백에 대해서는 언급하기를 꺼린다.

## 전례

그 후 계속해서 노아 · 아브라함 · 모세 · 다윗과 계약을 맺으신 하느님은 더 많은 이들에게 당신이 누구인지, 어떤 분인지를 점진적으로 계시하신다. 처음에 자기 죄를 고백하는 데 실패하더라도 하느님은 인내롭게 당신 백성을 거듭 타이르신다. 실제로 모세 율법에는 하느님이 당신 백성에게 제시한, 죄를 고백하는 구체적인 의식儀式이 기록되어 있다.

오늘날 이와 같은 의식을 단지 형식적인 행위로 치부하는 이들이 있는데 이는 잘못 알고 있는 것이다. 인간은 정해진 일과에 따라 생활한다. 그렇지 않으면 규칙적인 일상을 꾸려갈 수 없다. 양치질이나 문단속을 하는 일부터 '사랑합니다.'라고 말하거나 혼인서약을 하는 일, 큰일이든 작은 일이든 일상적 행위는 매일 해야 하는 정말 중요한 일들을 해결해 나가게 한다.

율법의 많은 조항은 이와 같은 일상적인 의식과 관련된다. 특히 그중 몇몇 조항은 죄를 고백하는 것과 관련된다. 예를 들어 레위기 5장 5-6절은 함부로 입을 놀려 죄를 짓는 경우를 다룬다. "누가 이러한 것들 가운데 한 가지 때문에 죄인이 되었을 경우, 그는 자기가 죄를 지었음을 고백해야 한다. 그런 다음 주님에게 자기가 저지른 죄에 대한 보상을 해야 한다. 작은 가축 가운데에서 암컷을, 곧 암양이나 암염소 한 마리를 속죄 제물로 바치는데, 사제는 그 죄 때문에 그를 위하여 속죄 예식을 거행해야 한다."

당신 백성에게 분명한 행동 수칙을 제시하여 각 사람이 자기 죄를 고백하도록 하셨다. 먼저 자기가 저지른 잘못을 고백하라고 요구하신다. 그런 다음 어떤 행위, 다시 말해 희생 제물을 드리는 전례 행위를 통해서 속죄하라고 하신다. 그리고 마지막으로 그 모든 것을 사제의 도움과 중재로 행하라고 하신다. 이 세 가지는 이스라엘 역사와 예수 그리스도의 교회사를 통해 그대로 이어졌다.

우리는 이러한 통회의 '행위'에 담겨 있는 효력을 과소평가해서는 안 된다. 우리 시대의 한 성인은 '사랑은 듣기 좋은 말만이 아니라 실천'이라고 했다. 1970년대에 대중의 인기를 끈 말이 있었다. "사랑한다면 미안하다는 말은 할 필요가 없는 거예요." 하지만 그렇지 않다. 사랑한다면 '미안하다.'고 말해야 할 뿐 아니라 그 마음을 행동으로 보여야 한다. 타락한 본성이 강하게 저항하긴 하지만 이것이 바로 인간의 본성이며, 그 본성을 창조하신 하느님은 우리에게 무엇이 적합한지를 잘 아신다. 우리는 '미안합니다.' 라고 말해야 하고, 그 마음을 행동으로 보여야 하며, 그에 대해 어떤 보상이나 조치를 취해야 한다.

하느님의 법은 사람의 미묘한 심리를 충분히 파악하고 있으며, 먼저 당신 백성이 고백하기를 꺼리는 마음을 이겨내도록 인도하고, 그런 다음에는 전례적 고백을 통해 법적 충족까지 누리게 하신다. "주님께서 모세에게 이르셨다. '너는 이스라엘 자손들에게 일러라. 남자든 여자든 남에게 어떤 잘못을 저질러 주님을 배신할 경우, 그자는 죄인이 된다. 그런 자는 자기가 저지른 잘못을 고백한 다음, 손해를 끼친 이에게 전액을 보상하고, 거기에 오분의 일을 더하여 갚아야 한다.'"(민수 5,6-7) 고백의 전례적 측면과 법적 측면은 나중에 다루겠다.

믿음과 마찬가지로 죄를 통회하는 마음 역시 행동으로 표현해야 한다.(마태 3,8-10; 야고 2,20.22.26 참조) 인간관계도 마찬가지다. 누군가를 기분 상하게 했을 때 우리는 좀처럼 자기 잘못을 인정하지 않으려 한다. 변명을 하거나 자기 책임을 부정한다. 그러나 그러한 관계를 치유하기 위해서는 내키지 않더라도 고백, 곧 미안하다는 사과의 말을 해야 한다. 그뿐 아니라 감정이 상한 상대방에게 보상을 하고 화해해야 한다. 사람들 관계도 이러할진대 하물며 주님의 마음을 상하게 했다면 더 말할 나위가 없지 않겠는가.

## 만만치 않은 고백

하느님은 죄의 고백을 이스라엘의 전례 안에서 지켜야 할 법으로 만듦으로써 고백하도록 배려하셨다. 그렇다고 구약의 통회를 실천하는 일이 수월했을 것이라고 과소평가해서는 안 된다. 법률로 규정되어 있다고 해서 그것을 이행하기가 수월했던 것은 아니다. 이스라엘의 고백과 희생 제물과 통회를 단지 전례 행위에 지나지 않은 것으로 평가절하하는 사람이 있다면 그는 탁상공론을 일삼는 해석자일 것이다. 죄를 고백하고 희생 제물을 바치며 통회하는 일은 실천하기가 그리 만만치 않았으며 경제적인 부담도 따랐다.

당신이 구약의 백성이라 가정하고, 죄를 범한 후 고백하고 희생 제물을 준비하는 과정을 상상해 보자. 이 일은 오직 예루살렘 성전에서만 할 수 있기 때문에 짐승과 강도가 출몰하는 황량한 사막을 가로지르거나, 나귀나 말을 타고 며칠씩 여행해야 한다.

당신이 지은 죄의 종류나 경중에 따라 염소나 양, 심지어 황소를 제물로 바쳐야 한다. 제물을 집에서부터 끌고 갈 수도 있고, 만약 그만한 돈이 있다면 예루살렘에 가서 살 수도 있다. 그리고 그 짐승을 재주껏 끌고 가야 하는데, 특히 황소라면 순순히 끌고 가는 것이 보통 일이 아닐 것이다. 예루살렘까지 무사히 갔다 하더라도 당신의 통회 행위는 이제부터다.

일단 예루살렘에 입성하면, 짐승을 언덕 위 성전 마당까지 끌고 가야 한다. 그리고 성전 안뜰에 들어가 희생 제물을 드리는 까닭을 아뢰어야 한다. 그런 다음 제단 앞에 서면 누군가 칼을 쥐어 줄 것이고, 직접 짐승을 죽여야 한다. 당신 손으로 도축해야 한다는 말이다. 살을 도려내고 가르고 가죽을 벗겨내야 한다. 짐승의 네 발을 잘라내고 배를 갈라 내장을 하나하나 떼어내어 넘기면, 사제는 그것을 불사른다. 내장의 불순물도 제거해 깨끗이 해야 한다. 그리고 사제가 짐승의 피를 제단에 뿌리는 동안 당신은 통회의 시편을 노래해야 한다.

이 모든 과정은 죄인이 반드시 해야 할 '통회 행위'였다. 구약성경학자 고든 웬함은 레위기와 민수기를 해설한 방대한 분량의 주석서에서 희생 제물을 바치는 과정을 상세하게 기술했다. 그는 다음과 같은 결어로 그 주석을 마무리했다.

"약간의 상상력을 발휘한다면 구약성경을 읽는 독자들은 희생 제물을 바치던 구약시대의 이러한 행위가 사람의 마음을 강하게 움직이는 사건이었다는 사실을 깨달을 것이다. 그에 비하면 우리 시대의 교회 전례는 생기 없고 지루하게 느껴질 정도다. 구약의 백성은 사목자의 설교나 듣고 성가나 몇 곡 부르고 앉아 있지 않았다. 그들은 적극적이고 능동적으로 예배에 참여했다. 그는 가축 가운데 흠 없는 짐승을 골라 성전으로 끌고 가 목을 부러뜨리고 제 손으로 도축해 눈앞에서 짐승을 불살라 연기로 사라지는 것을 지켜보았다."

구약시대에 희생 제물을 드린다는 것은 사적인 일이면서 동시에 공적인 일이었으니 매우 겸허하면서도 비용이 많이 드는 큰 희생이 따르는 일이었다. 농사꾼이 희생 제물로 소를 바쳐야 했다면 큰 재산을 잃는 것이었다. 이러한 행위를 통해 하느님은 당신 백성이 진심으로 통회하고 진지하게 개별적으로 책임져야 함을 환기시켰던 것이다.

이스라엘 백성은 얼마나 자주 이러한 행위를 했을까? 일반인들은 적어도 1년에 한 번 파스카 기간에, 사제들은 속죄일에 자기 죄를 고백하며 희생 제물을 바쳤다.

### 비통해하며 통곡하라

세월이 흐르면서 하느님의 백성은 통회 · 고백 · 회개에 대한 어휘나 노래뿐 아니라 몸짓과 행위에서 거듭 그 깊이를 더해 왔다. 지금처럼 그 당시에도 고백은 단지 영적인 문제만이 아니었다. 그것은 죄인 스스로 구체적으로 표현해야 하는 일이었다. 때로는 굵은 베옷 같은 것을 몸에 걸치는 경우도 있었다. 그것은 내적 실재를 드러내는 외적 표징이었다. 그것은 구약, 곧 계약의 성사였다. 그렇다고 그것이 단지 의식에 지나지 않았다는 말은 아니다. 죄인들은 자신이 안고 있는 슬픔과 사랑을 말로만이 아니라 고행이나 피를 흘리는 행동으로 구체적으로 표현했다. 그리고 그러한 행위를 통해 자신의 슬픔과 겸손을 몸에 익혔다.

다시 한 번 말하지만 이러한 고백은 단순한 정신적 수행이 아니었다. 그것은 생생한 행위를 통해 체현體現되었다. 고백은 단지 한 개인의 일이 아니라 교회 앞에서, 이스라엘 공동체 앞에서, 또는 사제들 앞에서 행해지는 공적인 일이었다.

"아합은 이 말을 듣자, 제 옷을 찢고 맨몸에 자루옷을 걸치고 단식에 들어갔다. 그는 자루옷을 입은 채 자리에 누웠고, 풀이 죽은 채 돌아다녔다."(1열왕 21,27)

“다윗은 원로들과 함께 자루옷을 입은 채 얼굴을 땅에 대고 엎드렸다. …‘백성의 인구 조사를 하라고 명령한 것은 제가 아닙니까? 죄를 짓고 이토록 큰 악을 저지른 자는 바로 저입니다.’”(1역대 21,16-17)

“이스라엘 자손들은 자루옷을 입고 흙을 뒤집어쓴 채, 단식하러 모여들었다. 이스라엘의 후예들은 모든 이방인과 갈라선 뒤, 제자리에 서서 자기들의 잘못과 조상들의 죄를 고백하였다.”(느헤 9,1-2)

고대 세계에서 베옷과 재, 통곡, 땅에 엎드리기는 비탄과 슬픔을 상징했다. 이스라엘 사람들은 이러한 행동을 통해 자기 죄에 대한 유감과 후회를 자연스럽게 표현했다. 그 상징들의 은유는 완벽하다. 죄는 죽음이기 때문이다. 육신의 죽음보다도 심각한 영적 생명을 잃는 것이기 때문이다. 그렇다면 죄를 범한 이가 비통해하는 것은 마땅하다. 초대교회 그리스도인들이 그랬듯이 죄인인 우리도 구약시대 선조들에게 많은 것을 배울 수 있다.

# 3 활짝 피어난 성사

이스라엘의 통회 행위는 의미심장하며 개인적이었다. 그것은 쉽게 잊어버릴 수 없는 사건이었으니 많은 이의 삶 속에 지속적인 영향을 미쳤음에 틀림없다. 따라서 예수님과 제자들이 고백과 용서에 대해 하신 말씀을 대할 때, 그것이 그들에게 의미하는 바가 무엇이었는지 새겨들을 필요가 있으며, 그와 관련된 행위를 생생하게 마음에 새겨야 한다.

구약의 성사에 대한 이해 없이는 신약을 올바로 인식하지 못한다. 예수께서 이 세상에 오신 것은 나쁜 것을 좋은 것으로 바꾸기 위함이 아니었다. 오히려 성부께서 이미 시작하신 숭고하고 신성한 그 무엇을 신묘한 완성 단계로 끌어올리기 위함이었다.

파스카를 예로 들어보자. 고대 이스라엘 사람들은 파스카 축제 때 하느님이 내리신 재앙에서 맏이들을 구하기 위해 각 가정에서 양을 희생 제물로 바친 날을 기념했다.(탈출 12장 참조) 파스카는 이스라엘 역사에서 중추적 사건 중 하나였다. 그러나 하느님의 어린양이며 세상을 구원하러 오신 그리스도의 파스카 앞에서는 이러한 것이 무색해진다. 이스라엘과 하느님이 맺은 계약은 매년 파스카 축제 때 갱신되었다. 그러나 그리스도의 파스카, 곧 수난 · 죽음 · 부활은 미사 중에 매일 재현再現된다.

옛 계약은 쇠진하여 소멸되지 않고 오히려 예수 그리스도의 새 계약으로 말미암아 새 생명을 얻었다. 구약의 희생 제사만으로는 충분치 못했기에 항상 그보다 위대한 것을 암시했다. 하느님이 구약의 희생 제사를 세우신 것은 앞으로 완성될 희생 제사를 예시하기 위함이었다. 구약의 희생 제사는 앞으로 있을 희생 제사를 암시하는 한편으로 스스로의 불충분함을 드러냄으로써 다가올 그리스도의 영원한 희생 제사를 예시했다.

이스라엘인들이 희생 제사를 드리고 고백을 해도 거듭 죄에 빠지곤 했으니, 어떤 희생 제물과 봉헌물로도 하느님을 거스른 죄를 기워 갚지는 못했다. 히브리인들에게 보낸 서간에서는 "모든 사제는 날마다 서서 같은 제물을 거듭 바치며 직무를 수행하지만, 그러한 것들은 결코 죄를 없애지 못합니다."(히브 10,11)라고 말한다.

옛 방식으로는 부족했다. 만약 성사가 세상의 죄와 각 사람의 죄를 없앨 양이면 하느님이 직접 그 성사를 집전하셔야만 했다. 하느님은 참으로 성사를 집행하셨다.

## 완고함

영국 시인 알렉산더 포프가 "잘못은 인간이 저지르고 용서는 신이 하는 일이다."라고 했는데 이 말은 수천 년 전부터 이스라엘 종교의 특징이었다. 사람들은 죄를 지었다. 올바른 사람조차도 하루에 '일곱 번'(잠언 24,16) 넘어진다. 죄의 용서는 하느님만이 하실 수 있다. 죄를 고백하고 희생 제물을 바친다고 해서 하느님의 용서를 이끌어 내지는 못한다. 죄는 인지상사人之常事요, 용서는 신의 본성이니 그것은 하느님의 고유한 권한이다.

그러니 예수께서 죄의 용서를 선언하셨을 때 이스라엘 사람들이 딜레마에 빠질 수밖에 없었던 것이다. 이 말은 곧 예수께서 하느님의 고유한 권한을 침해하는 것이거나 정녕 사람이 되신 하느님이라는 말이기 때문이다. 공관복음서에 나오는 이른바 '중풍병자를 낫게 하신 이야기'가 이를 가장 극적으로 전한다.

예수님께서 그들의 믿음을 보시고 중풍병자에게 말씀하셨다. "얘야, 너는 죄를 용서받았다." 율법학자 몇 사람이 거기에 앉아 있다가 마음속으로 의아하게 생각하였다. '이자가 어떻게 저런 말을 할 수 있단 말인가? 하느님을 모독하는군. 하느님 한 분 외에 누가 죄를 용서할 수 있단 말인가?' 예수님께서는 곧바로 그들이 속으로 의아하게 생각하는 것을 당신 영으로 아시고 말씀하셨다. "너희는 어찌하여 마음속으로 의아하게 생각하느냐? 중풍병자에게 '너는 죄를 용서받았다.' 하고 말하는 것과 '일어나 네 들것을 가지고 걸어가라.' 하고 말하는 것 가운데에서 어느 쪽이 더 쉬우냐? 이제 사람의 아들이 땅에서 죄를 용서하는 권한을 가지고 있음을 너희가 알게 해 주겠다." 그러고 나서 중풍병자에게 말씀하셨다. "내가 너에게 말한다. 일어나 들것을 들고 집으로 돌아가거라."(마르 2,5-11)

'너는 죄를 용서받았다.' 여기서 예수님은 성전 대사제조차 가지고 있지 않은 권한을 가지고 있다고 선언하신다. 그분은 한 사람의 죄를 모두 용서한다고 선언함으로써 신적 사면권을 행사하고 있다.

예수께는 병자의 몸을 치유하는 일보다 영혼을 치유하는 일이 더 중요하고 신성한 행위였다. 그분은 영혼의 치유를 보여주기 위해 몸을 치유하는 기적을 행하셨다. 사실 몸의 치유는 영혼의 치유를 통해 이루어진다.

이는 엄청난 중요성을 띤 사건이다. 예수께서 행한 기적을 목격한 사람들은 결단을 내려야만 했다. 다시 말해 그분의 신성을 믿든지, 아니면 신성을 모독한 일로 비난하든지 해야 했다. 율법학자들은 속으로 예수께 신성모독 혐의를 적용했다. 하지만 교회는 그분을 하느님으로 고백했다.

## 매고 푸는 권한

죄를 용서하는 그리스도의 능력을 믿는 것은 믿는 이의 표지다. 나아가 우리는 그리스도께서 그 능력을 특별한 방법으로 행사하기로 결정하셨음을 알아야 한다. 죽은 이들 가운데서 부활하신 날, 그리스도께서는 제자들에게 나타나셔서 이렇게 말씀하셨다. "평화가 너희와 함께! 아버지께서 나를 보내신 것처럼 나도 너희를 보낸다."(요한 20,21) 그러고는 그 누구도 상상하지 못한 일을 하셨다. 곧 당신의 생명과 능력을 제자들과 공유하셨다. "이렇게 이르시고 나서 그들에게 숨을 불어넣으며 말씀하셨다. '성령을 받아라. 너희가 누구의 죄든지 용서해 주면 그가 용서를 받을 것이고, 그대로 두면 그대로 남아 있을 것이다.'"(20,22-23)

예수께서는 당신 제자들을 성사를 집행할 사제로서뿐 아니라 신자들의 행동에 대해 판결을 내릴 재판관으로 세우셨다. 이전에 이스라엘 사제들에게 속해 있던 권한을 훨씬 능가하는 권한을 제자들에게 주신 것이다. 라삐들은 고대 사제들이 가지고 있던 이 권한을 '매고 푸는' 권한이라고 불렀다. 예수께서는 당신 제자들에게 라삐들이 사용하던 바로 그 표현을 사용하셨다. 라삐들에게 매고 푼다는 것은 곧 어떤 사람을 이스라엘 공동체에 받아들일 것인지, 아닌지를 판단하는 것을 의미했다. 라삐들의 가르침을 따르면 화해시킬 권한과 파문시킬 권한은 사제들에게 있었다.

하지만 예수께서는 단지 권한을 이양하는 것에 그치지 않으셨다. 구약의 직책을 완성하는 동시에 새로운 차원을 더하셨다. 새로운 권한이란 이승에 국한된 것이 아니었다. 이제 교회가 육화한 하느님의 권한을 공유하게 되었으므로 그 권한은 하느님의 권한에까지 연장될 것이다. "내가 진실로 너희에게 말한다. 너희가 무엇이든지 땅에서 매면 하늘에서도 매일 것이고, 너희가 무엇이든지 땅에서 풀면 하늘에서도 풀릴 것이다."(마태 18,18)

사도들이 실제로 이 권한을 행사할 수 있으려면 죄인이 자기 죄를 소리 내어 또는 공개적으로 고백해야만 했다. 그렇지 않고서는 무엇을 매고 풀어야 할지 알 수 없었기 때문이다.

## 공통된 바탕

예수님은 유다인이었고 이스라엘의 충실한 자녀였다. 제자들도 마찬가지였다. 그들은 한 민족이었고 종교적 체험에서도 같은 언어와 유산과 추억을 공유했다. 예수께서는 용서와 고백에 대해 말씀하실 때도 당신 이야기를 듣는 유다인 청중이 충분히 공감하고 이해할 수 있는 공통 언어와 경험과 추억을 이용하셨다.

용서와 고백에 관한 예수님의 말씀을 사도들은 자신들이 이미 알고 있는 바대로 이해했다. 예수님은 우리가 앞에서 다루었던 구약의 성사, 곧 옛 계약을 종결하신 것이 아니라 완성하셨다. 기묘한 일이지만 옛 계약은 새 계약에 의해 종결되었으면서도 그 안에 포함되었다.

사도들은 이것을 어떻게 이해했는가? 사도 요한은 이렇게 말한다. "우리가 우리 죄를 고백하면, 그분은 성실하시고 의로우신 분이시므로 우리의 죄를 용서하시고 우리를 모든 불의에서 깨끗하게 해주십니다."(1요한 1,9) 사도 바오로는, 고백이란 단지 마음과 생각으로만 하는 것이 아니라 '입으로' 하는 것이라고 한다.(로마 10,10)

그렇다면 우리는 누구에게 고백해야 하는가? 물론 하느님이다. 하지만 방법적으로는 하느님이 예수 그리스도를 통해 위임하신 사제들에게 해야 한다. 성 야고보는 성직자의 성사적 임무에 대한 논의 말미에서 고백에 대해 말한다. 성직자를 일컬어 그가 사용한 용어는 그리스어 프레스비테로스 πρεσβύτερος로 '장로'를 뜻하며 사제를 뜻하는 영어 priest의 어원이 된다.

> 여러분 가운데에 앓는 사람이 있습니까? 그런 사람은 교회의 원로들을 부르십시오. 원로들은 그를 위하여 기도하고, 주님의 이름으로 그에게 기름을 바르십시오. 그러면 믿음의 기도가 그 아픈 사람을 구원하고, 주님께서는 그를 일으켜 주실 것입니다. 또 그가 죄를 지었으면 용서를 받을 것입니다. 그러므로 서로 죄를 고백하고 서로 남을 위하여 기도하십시오. 그러면 여러분의 병이 낫게 될 것입니다. 의인의 간절한 기도는 큰 힘을 냅니다.(야고 5,14-16)

성경 본문에서 '그러므로'라는 말마디를 사용한 의도를 살펴보자. 이 본문에서 야고보는 고백을 사제의 치유 행위와 연계시키고 있다. 사제들은 치유하는 이들이기에 우리가 병에 걸렸을 때 기름을 발라 달라고 청한다. '그러므로' 우리 영혼이 죄로 병들었을 때는 더더욱 용서라는 치유 성사를 청해야 한다.

성 야고보는 오직 예수께만 죄를 고백하라고 권고하지 않는다. 그런가 하면 죄를 조용히 마음속으로만 고백하라고 하지도 않는다. 그런 행위가 무의미하다는 것이 아니라 자기 죄를 다른 사람, 곧 장로나 사제에게 고백하기 전에는 아직 하느님 말씀에 충실한 것이 아니라는 말이다.

아담과 하와 때부터 하느님은 죄를 고백하게 하셨다. 이제 우리는 예수 그리스도께서 세우신 교회 안에서 그렇게 할 수 있다.

## 초대교회

이쯤에서 초대교회 그리스도인에 대해 가지고 있는 일반적 오해를 바로잡고 넘어가는 것이 좋겠다. 오늘날 많은 사람이 그리스도교 신앙은 고대 이스라엘의 신앙이나 전통과 갑작스럽게 단절했다고 잘못 생각한다. 다시 말해 그 당시 사람들이 모르는 새로운 신앙이었을 것이라고 생각한다.

그러나 그것은 정반대다. 초대교회 그리스도인들은 자신들이 물려받은 초기 유다교 신앙의 많은 부분을 이어갔고, 그것은 바야흐로 새로운 권위를 지니게 되었다. 그리스도인들은 자기들만의 회당을 지었고, 기원후 70년까지 예루살렘 성전에 모였다. 일부 그리스도인들은 주님의 날인 일요일뿐 아니라 전통적 안식일인 토요일도 지켰다. 그리스도인들은 유다교의 여러 기도문과 축복 방식과 전례 형식으로 예배를 드렸다. 최근에 와서 학자들은 '그리스도교 전례 안에 남아 있는 유다교의 뿌리'를 새롭게 인식하게 되었다. 그리고 이스라엘의 식사 의식儀式과 희생 제사 등이 그리스도교 신앙생활의 중심에 있는 미사로 발전하게 된 과정을 설명하는 데 많은 노력을 기울였다.

오늘날 교회에서 고해성사 또는 화해의 성사라 부르는 것도 마찬가지다. 새롭게 된 이스라엘, 곧 가톨릭교회는 선조로부터 이어져 온 신앙생활의 의식을 버리지 않았다. 그런 까닭에 그리스도인들은 초대교회 공동체에서 시작해 그 이후로도 줄곧 죄의 고백을 실천해 왔다.

성경 다음으로 가장 오래된 유다 그리스도교 문헌에 죄의 고백이 두 번 등장한다. '디다케' 또는 '사도들의 가르침'으로 불리는 이 문헌에는 도덕적 가르침, 교의에 관한 가르침, 전례에 관한 가르침이 편집되어 있다. 어떤 학자들은 이 문헌의 일부가 기원후 48년경에 팔레스티나 또는 안티오키아에서 편집되었다고 한다.

"그대는 범한 죄를 교회 안에서 고백해야 하며, 악한 마음을 품은 채 기도하러 오지 말지어다."(디다케 4,14) 이는 참회에 관한 여러 가지 도덕적 가르침과 지시 사항을 열거한 목록 끝에 기록된 명령이다.

이어지는 부분에서는 성체를 영하기 전에 하는 고백의 중요성에 대해 언급한다. "주님의 날에 함께 모여 빵을 나누고 감사의 기도를 올리되, 그대가 드리는 희생 제사가 깨끗하도록 먼저 그대가 지은 죄를 고백하라."(14,1)

1세기 말 대략 기원후 70년에서 80년에 쓴 것으로 추정되는 '바르나바 서간'에 디다케의 명령이 그대로 되풀이해 등장하는 것을 볼 수 있다. '그대는 범한 죄를 교회 안에서 고백해야 하며 악한 마음을 품은 채 예배에 참여하지 말지어다.'(19)

디다케와 바르나바 서간으로 미루어 당시 그리스도인들은 자기 죄를 공개적으로 고백했을 것으로 짐작된다. '교회 안에서'라는 어구는 '회중 앞에서'라고도 번역될 수 있기 때문이다. 사실 지난날 여러 지역 교회에서 이런 방법으로 통회와 고백을 실천한 예가 있다. 후대에 사목적인 이유에서 그 방법을 폐기하게 되었는데 충분히 짐작할 수 있는 일이다. 곧 죄를 통회하는 자의 난처함, 그 죄의 희생자가 느낄 수 있는 수치심, 그리고 그 외에도 죄목에 따른 민감한 문제와 같은 것을 면하게 하기 위해서였다. 교회가 그 자비심을 적용한 사례라고 할 수 있겠다.

죄 고백의 전통을 증명하는 또 다른 증거는 그 다음 세기인 기원후 107년경 문헌자료에서 찾을 수 있다. 안티오키아의 주교인 성 이냐시오는 성찬식 중에 통회하는 방식을 고안해 낸다. 소아

시아 지역의 필라델피아인들에게 보낸 서간에서 그는 다음과 같이 진술한다. "하느님 앞에, 주교와 한뜻으로 참회한다면 회개하는 모든 이들에게 주님께서 용서를 베푸신다."(8,1) 성 이냐시오는 충실하게 죄를 고백하는 모습이 구원에 이르는 그리스도인의 특징이라고 한다. "하느님과 예수 그리스도께 속한 사람은 누구나 주교와도 일치한다. 자기 죄를 고백하고 교회로 돌아오는 사람은 하느님께 속하며 예수 그리스도를 본받아 생활한다."(3,2)

교부에게 죄의 고백은 정화나 안정을 찾음을 뜻했다. 기원후 96년 교황 성 클레멘스 1세는 이렇게 말했다. "완고한 마음보다 죄를 고백하는 편이 낫다."(코린토인들에게 보낸 편지 51,3)

## 고해성사의 변화

성사는 예수 부활 이후 줄곧 우리 삶과 함께했지만 여러 모양으로 행해졌다. 고해성사에 대한 교회의 가르침 역시 시대에 따라 발전했다. 본질은 변하지 않았지만 시대에 따라 그 모습은 변모해 왔다.

예를 들면 초기 일부 지역 교회에서 주교들이 특정한 죄, 곧 살인 · 강간 · 배교는 고백하더라도 이승에서는 사해질 수 없다고 가르쳤다. 이러한 죄를 범한 그리스도인은 다시는 성체를 영할 수 없었고, 임종 때나 하느님의 자비를 구할 수 있었다. 또 다른 지역 교회 주교들은 이러한 죄를 사해 주기는 했지만 몇 년에 걸쳐 마칠 수 있는 힘겨운 노역과 같이 매우 힘든 참회 과정을 거쳐야 했다. 시대가 바뀌면서 교회는 세부 실천사항을 완화시켜 성체성사 안에서 죄를 극복할 힘을 찾도록 그리스도인을 격려하고, 참회하는 죄인이 절망에 빠지지 않도록 배려하는 방향으로 변화되었다.

죄인들이 공동체로 돌아오는 것을 모든 그리스도인이 반긴 것은 아니었다. 그런 심약한 이들과 부적격자들을 제외시키는 것이 교회에 유익하다고 주장하는 이들도 있었다. 치프리아노가 북아프리카 카르타고 교회 주교로 있던 시기(기원후 248-258년)에 본격적으로 이 문제가 불거졌다. 당시는 박해 시대였으므로 용기있게 죽음을 택한 그리스도인이 있는가 하면, 고문과 죽음에 대한 두려움으로 안타깝게도 그리스도를 부인한 이들도 있었다. 믿음을 저버린 이들이 나중에 자신들의 행위를 후회하며 교회로 되돌아오고 싶어했지만 끝까지 그리스도를 배반하지 않은 채 고문을 이겨낸 그리스도인들은 그들과 재결합하는 것을 강하게 반대했다.

치프리아노 주교는 교회가 정한 속죄 행위(보속)를 모두 실천하게 한 다음 다시 받아들여야 마땅하다고 주장했다. 그는 특히 박해 시대에는 언제 결정적인 부르심을 받게 될지 모르기 때문에 무거운 죄를 범한 이들이나 가벼운 죄를 범한 이들이나 모든 죄인은 교회가 베푸는 고해성사의 기회를 활용하라며 간절히 호소

했다.(과연 우리가 언제 최후 심판을 맞이하게 될지 시대를 불문하고 아무도 알 수 없다.)

> 사랑하는 형제들이여, 간곡히 호소합니다. 아직 이승에 있는 동안, 교회가 죄 고백을 받아들이고 사제들의 사죄경이 주님을 기쁘게 하시는 동안, 각자 자신이 지은 죄를 고백해야 합니다. 온 마음을 다해 하느님을 향해 돌아섭시다. 우리의 죄를 진심으로 통회하고 뉘우쳐 회개합시다. 하느님께 자비를 간청합시다. … 하느님 친히 우리에게 그 길을 알려주셨습니다. "그러나 이제라도 너희는 단식하고 울고 슬퍼하면서 마음을 다하여 나에게 돌아오너라."(요엘 2,12)

치프리아노는 요엘 예언서의 말씀을 상기시키며 '이방인'들에게 죄 고백을 권고했다. 어떻게 그럴 수 있었을까? 요엘 예언자와 예수 그리스도와 치프리아노 성인은 죄 고백과 회개 또는 개종과 새 계약에 대해 같은 시각을 가지고 있었기 때문이다. 그리스도께서 직접 말씀하신 교회의 사명은 그러한 시각과 이해를 복음, 곧 기쁜 소식으로 선포하는 것이었다. "예루살렘에서부터 시작하여, 죄의 용서를 위한 회개가 그의 이름으로 모든 민족들에게 선포되어야 한다."(루카 24,47)

교부들의 가르침과 그들이 남긴 문헌을 보면 우리는 그리스도를 주님으로 고백했던 공동체에서는 예외 없이 교회의 사제에게 죄를 고백했다는 사실을 알 수 있다. 이는 기원후 177년에서 200년까지 프랑스 리옹의 대주교였던 성 이레네오와 기원후 203년경 북아프리카의 테르툴리아노와 기원후 215년경 로마의 성 히폴리토의 글에도 기록되어 있다.

기원후 250년경 이집트 학자 오리게네스는 참회를 통한 죄의 용서는 죄인이 주님의 사제에게 자신의 죄를 고백할 마음의 준비가 되어 있고, 시편 저자처럼 진실한 마음으로 간절히 치유를 바랄 때 베풀어진다고 말했다. "제 잘못을 당신께 자백하며 제 허물을 감추지 않고 말씀드렸습니다. '주님께 저의 죄를 고백합니다.' 그러자 제 허물과 잘못을 당신께서 용서하여 주셨습니다."(시편 32,5)

## 자비와 정의

하느님께서 우리의 죄 고백을 바라시는 것은 죄 고백이 하느님의 자비를 입을 수 있는 전제 조건이기 때문이다. 이것이 태초부터 오늘날까지 그분의 변치 않는 메시지다. 하느님은 처음부터 자비로우신 분이지만 그분의 자비는 역사 속에서 점진적으로 계시되었다. 그분은 이스라엘 백성에게 하느님의 옥좌 '속죄판'을 만들어 지성소 안 계약 궤 위에 올려놓으라고 명하셨다. 그 누구도 거기에 접근할 수 없었으며 오직 대사제만이 1년에 한 번 속죄일에 그 앞에 나아가 이스라엘 백성을 위해 희생 제물의 피를 뿌렸다.

구약에서는 옥좌에 그 누구도 접근할 수 없었으며 옥좌는 비어 있었다. 신약에서는 마침내 우리의 대제관이신 예수 그리스도께서 그 자리에 앉으셨다. 그분은 인간의 연약함을 동정하신다.(히브 4,15) 그뿐 아니라 우리의 대제관께서는 우리가 두려워하면서 거리를 두고 떨어져 있기를 원치 않으시며 가까이 다가오기를 바라신다. "그러므로 확신을 가지고 은총의 어좌로 나아갑시다. 그리하여 자비를 얻고 은총을 받아 필요할 때에 도움이 되게 합시다."(4,16)

이러한 초대는 하느님의 계시가 완성되었을 때만 가능하다. 하느님의 가장 본질적인 속성이 자비이기 때문이다. 자비가 하느님의 가장 중요한 속성인 이유는 무엇인가? 자비가 우리에게 위안을 주기 때문도 아니요, 그것이 그분의 능력이나 지혜보다 더 매력적이기 때문도 아니다. 자비가 하느님의 가장 위대한 속성인 이유는 그것이 그분의 능력과 지혜와 선하심의 바탕이요, 그 절정이기 때문이다.

하느님의 능력과 지혜 또는 선하심과 관계된 속성들은 우리가 구별해 낼 수 있다. 하지만 자비는 그보다도 깊은 것이다. 자비는 그 세 가지 속성을 하나로 한 무엇이다. 자비는 하느님의 능력과 지혜와 선하심의 일치 안에서 드러나는 결정체라 할 수 있다. 하느님께서는 자비가 당신의 이름과 밀접한 관계가 있음을 모세에게 보여주셨으니, 이스라엘 백성에게 하느님의 이름은 곧 그분의 정체를 의미했다. "나는 나의 모든 선을 네 앞으로 지나가게 하고, 네 앞에서 '야훼'라는 이름을 선포하겠다. 나는 내가 자비를 베풀려는 이에게 자비를 베풀고, 동정을 베풀려는 이에게 동정을 베푼다."(탈출 33,19)

자비는 예수 그리스도를 통해 완전하게 계시되었다. 하지만 중요한 것은 자비를 올바로 이해하는 일이다. 자비는 동정이 아니다. 또한 용서받을 수 있기에 '과감하게 죄를 지어도 된다는' 허가증도 아니다. 나중에 다시 말하겠지만 자비는 죄에 대한 벌을 면해 주지 않는다. 오히려 벌이 자비로운 치유 수단임을 확실히 한다.

토마스 데 아퀴노는 자비와 정의는 별개가 아닌 하나라고 했다. "정의와 자비의 일치는 확고한 것이어서 그 둘이 서로를 조율하니 자비 없는 정의는 무자비함이요, 정의 없는 자비는 붕괴다." 자비는 정의를 무시하지 않는다. 성령께 마음을 열고 회개할 때 우리는 정의를 넘어서 죄인을 바른 사람으로 변화시킨다.

# 4 성사로 봉인된 참된 고백

교회의 다른 전례와 마찬가지로 고해성사 역시 역사를 통해 여러 가지 요구와 도덕적 사조思潮와 여러 문화권에 적응해 오면서 그 모습이 변화했다. 그러나 본질은 변하지 않았다. 그리스도께서 의도하신 바와 같이 용서와 치유라는 연속성은 그대로 유지되었다.

고해성사의 구체적인 전례 형태는 많이 변했다. 어떤 시대에는 그리스도인들이 자기 죄를 공동체 앞에서 공개적으로 고백했다. 하지만 우리 시대에 고백은 고해자 또는 참회자와 사제 간의 사적인 일이다. 초대교회 당시에 어떤 주교들은 세례 받은 신자들에게 일생 동안 단 한 번 고해성사를 볼 수 있도록 허락했다. 그렇지만 우리 시대에는 적어도 한 달에 한 번 고백할 것을 권하며 1년에 적어도 한 번은 의무적으로 고해성사 볼 것을 요구한다.

달라진 것이 또 있다면 예전에는 교회가 참회자에게 엄중한

징계를 부과했다는 것이다. 초기에는 살인 · 강간 · 배교와 같이 특수한 대죄를 고백한 자는 오랜 세월을 '참회자 부류'에 속한 채 살다가 공동체에 받아들여졌다. 이러한 죄인들은 몇 년간 엄격한 기도생활과 보속 실천과 자선 행위를 하고 나서 성체를 영할 수 있었다. 실제로 그런 죄인들은 미사에 온전히 참례하는 것이 허락되지 않아 성찬례가 시작되기 전 아직 세례를 받지 않은 이들과 함께 밖으로 나가야만 했다.

고해성사를 개인적으로 자주 받을 수 있는 길을 터놓은 것은 동방 수도회 수사들의 공로다. 서방에서는 아일랜드 선교 수사들이 유럽을 순례하며 이 방식을 장려했다. 오늘날 우리가 알고 있는 고해성사의 외적 형태는 대부분 7세기에 자리 잡았다.

그러나 오늘날에도 고해성사의 형태는 변화할 수 있다. 교회는 다른 성사와 달리 고해성사의 전례적 측면에서 유연성을 허락한다. 고해성사를 보는 적절한 장소는 성당이나 기도실에 마련되어 있는, 격자 창살이나 천으로 가린 고해소다. 고해자가 익명성을 바랄 때는 고해사제가 자신의 얼굴을 보지 못하는 격자 창살이나 천 뒤에서 고백한다. 그렇지 않을 때에는 마치 오랜 벗처럼 고해자가 사제와 마주 앉아 성사를 보기도 한다. 또 때로는 전쟁터의 포화 속에서 고해성사를 보는 경우도 있고 병실에서 영혼의 치유가 이루어지기도 한다. 필자는 다양하게 고해성사를 본 경험이 있다. 곧장 고해소를 찾아갈 상황이 아닐 때, 예를 들어 도심의 거리를 걷거나 차를 타고 가거나 공항에서 탑승을 기다리면서 고해성사를 받았다.

형태는 변하더라도 본질에는 변함이 없다. 이제 고해성사의 본질에 대한 교회의 가르침과 그 실제에 대해 알아보자.

## 일곱 성사

고해성사에 대해 알아보기 전에 먼저 성사 일반에 대해 살펴보자. 성사란 무엇인가? 이미 성사에 대한 고전적 정의를 소개한 바 있다. 성사란 내적 실재를 드러내는 표징이다. 여기서 성사에 대한 또 하나의 고전적 정의를 소개하겠다. 신약의 성사는 '은총을 베풀기 위해 그리스도께서 세우신 외적 표징'이다. 은총이란 하느님의 생명이니, 그분은 그리스도께서 교회에 맡기신 성사를 통해 당신 생명을 나누어 주신다. 교회는 이러한 성사를 일곱 가지, 곧 세례성사 · 성체성사 · 견진성사 · 고해성사 · 병자성사 · 혼인성사 · 성품성사로 이해한다. 이 일곱 성사는 전통적으로 입문 성사(세례 · 성체 · 견진성사), 치유 성사(고해 · 병자성사), 성소聖召 성사(혼인 · 성품성사)로 나뉜다.

새로운 계약의 성사는 예수 그리스도로 말미암아 더욱 새로워졌다. 새로운 계약의 성사가 새로 고안되었다는 의미에서 새롭다는 말은 아니다. 초대교회 신자들이 '영원한 계약', 곧 시간을 초월하는 계약이라 부르던 것을 새롭게 갱신했다는 말이다. 더 정확하게 옮긴다면 '갱신된 계약', 다시 말해 역사를 통해 하느님께서 거듭 맺으신 계약의 완결 또는 완성이라고 할 수 있다.

하느님이 계약을 맺으셨다. 고대 사회에서 계약은 양측이 가족의 유대를 맺는 법적 · 전례적 수단이었다. 혼인도, 아이를 입양하는 것도 계약이었다. 하느님이 인간과 계약을 맺으실 때면 아담 · 노아 · 아브라함 · 모세 · 다윗과 계약을 맺으셨듯이 언제나 당신과 당신 백성 사이에 가족의 유대를 갱신하셨다. 계약은 흔히 어떤 외적 표징에 의해 확증되었는데 곧 서약 · 식사 · 희생 제사가 뒤따랐다.

예수 그리스도께서 이 땅에 오심으로써 구약의 계약 안에서 하느님이 이루신 모든 일이 의미 없게 된 것은 아니다. 구약과 신약을 분리하는 것은 불가능하다. 신약은 구약에서 예시되었으며, 구약은 신약에서 완성되었다. 구약의 표징인 서약 · 식사 · 희생 제사는 신약의 성사 안에서 완성되었다. 예수께서 말씀하셨다. "보라, 내가 모든 것을 새롭게 만든다."(묵시 21,5) 예수 그리스도께서 새로운 계약을 맺으시니 모든 것이 새롭게 되었다.

신약의 모든 성사는 가족의 식사요 희생 제사인 성체성사를 중심으로 한다. 또한 모든 성사는 하느님의 거룩한 이름을 일깨우며 서약으로서 구속력을 갖는다. 나아가 구약과 마찬가지로 신약의 계약에서도 "계약을 갱신하는 전례는 죄의 용서와 특별한 관계를 갖는다". 그러나 그 권위가 완전해지고 용서가 완성되는 것은 신약의 계약에서다.

덧붙여 말하면 서약(맹세)을 뜻하는 라틴어는 sacramentum

이며 영어의 sacrament(성사)는 거기서 비롯되었다. 교회가 sacramentum을 '서약'과 '거룩한 전례'라는 두 가지 의미로 사용하기 시작한 것은 110년경부터다.

고해성사를 받음으로써 우리는 성체성사를 받을 준비를 갖추게 된다. 고해성사를 봄으로써 우리는 성사의 은총을 통해 베풀어지는 하느님의 생명을 담기에 걸맞은 깨끗한 그릇이 된다. 고해성사로 우리는 새로운 계약, 곧 하느님의 자녀로서 그분과 맺는 가족의 유대관계를 형성하기에 걸맞게 된다. 고해성사로 용서받을 수 없다면 우리는 얼굴을 들어 하느님을 바라보지 못한 채, 마치 노예가 주인에게 다가가듯 그분 앞으로 나아가게 되리라. 하지만 죄 사함을 받음으로써 우리는 마치 자녀들이 사랑하는 아버지를 올려다보듯이 순결한 영혼이 되어 하느님께 다가갈 힘을 얻는다.

## 교회의 가르침

고해성사가 어떻게 우리를 이처럼 변화시키는가? 전례적인 부분은 시대에 따라 변화해 왔지만 「가톨릭교회교리서」(이하 「교리서」로 약칭)를 따르면 "변화를 겪어온 이 성사의 규칙과 거행을 통틀어 볼 때, 불변하는 기본 구조를 발견할 수 있다".(1448항) 고해성사는 두 가지 핵심 요소로 구성된다. 곧 회개하는 사람의 행위와 교회의 중개를 통한 하느님의 행위다.

어떤 의미에서는 그 두 가지 모두 하느님의 행위다. 회개하는 사람의 행위조차 '성령의 감도로'(1448항) 이루어지기 때문이다. 하지만 사람 편에서도 하느님의 뜻에 따르기 위해 마음을 다해야 한다. 그렇다면 고해성사의 한 구성 요소인 사람의 행위란 무엇을 말하는가? 교회는 세 가지를 꼽는다. 통회와 고백과 보속이다. 다시 말해 자신이 지은 죄를 마음 아파해야 하고, 지은 죄들을 일일이 열거하고 유감을 표현해야 하며, 고해사제가 정해 준 '속죄' 행위나 '보상' 곧 보속을 이행해야 한다. 이에 대해 하나씩 살펴보도록 하자.

**자신이 지은 죄를 마음 아파해야 한다** 이러한 슬픔을 일컫는 전문 용어가 통회다. 통회 없이는 고해성사를 받을 수 없다. 사람 편에서 볼 때 고해성사의 본질은 하느님께 드리는 우리의 사죄이기 때문이다. 통회는 완전하지 않을 수도 있다. 하느님을 향한 순수한 사랑에서 우러나오지 않을 수도 있다. 예를 들어 하느님이 내리실 벌이 두려워 자기 죄를 고백할 수도 있다는 말이다. 그것도 좋은 출발점이 될 수 있다. 두려움으로 시작된 고백이지만 참된 통회가 될 수 있게 하느님의 은총이 우리 안에서 작용해 부족한 부분을 채워주실 것이다. 하지만 우리 편에서도 과거에 지은 죄를 고백하고 앞으로 다시는 같은 죄를 범하지 않기 위해 자신의 생활을 바꿀 결심을 해야 한다. 다시 죄의 유혹에 빠지게 할 장소를 피하고 그런 사람들과 어울리지 않겠다는 결심을 해야 한다. 교회는 이를 '다시는 죄를 짓지 않겠다는 굳은 결심'이라 하는데, 이는 교회의 공적 기도인 '통회기도'에 나온다. "주님의 은총으로 속죄하고 다시는 죄를 짓지 않으며 죄지을 기회를 피하기로 굳게 다짐하오니…".

어떤 이들은 '사제에게 자기가 지은 죄를 고백하고 용서받을 수 있다니 가톨릭 신자들은 언제고 마음 내키는 대로 계속 죄를 지을 수 있겠구나.'라고 생각할 수도 있다. 그런데 이는 가톨릭 교회만의 문제가 아니다. 어떤 종교라도 회개를 강조한다면 이렇게 오해할 수 있다. 회개는 진실한 마음에서 이루어져야 하며 다시는 죄를 짓지 않겠다는 다짐 또한 마찬가지다.

하버드 대학 철학 교수인 윌리엄 제임스는 이런 말을 했다. "다윗처럼 회개할 수만 있다면 다윗처럼 죄를 지을 텐데." 하지만 이것은 정말 잘못된 생각이다. 죄를 지은 사람이 진심으로 자기 죄를 미워하지 않는 한, 통회하는 마음으로 자기 죄를 고백하되 진심으로, 겸손하게, 빼놓지 않고 고백하지 않는 한 고해성사는 죄 사함을 베풀지 않으니, 그 죄들은 용서받지 못한 채 남는다. 더군다나 그럴 경우 그 죄인은 신성모독죄까지 범하게 된다.

예수께서는 죄를 사하여 주시면서 생활을 바꿀 것을 명하셨다. 간음하다 잡혀 온 여인에게 단죄하지 않는다고 하시고 다음과 같이 덧붙여 말씀하셨다. "가거라. 그리고 이제부터 다시는 죄짓지 마라."(요한 8,11) 그분은 오늘도 교회를 통해서 같은 당부를 하신다.

**자기 죄를 고백해야 한다** 성경은 죄를 두 가지 유형으로 구분한다. 곧 '죽을죄'와 '죽을 정도는 아닌 죄'다.(1요한 5,16-17) 명칭이 말해주듯 '죽을죄'는 치명적인 죄이니, 사람의 영혼 안에서 하느님의 생명을 질식시키기 때문이다. '죽을죄'는 우리를 영적으로 죽게 한다. '죽을죄 곧 대죄'는 언제나 '중대한 문제', 곧 삶의 가장 중요한 부분과 관련되어 있다. 신자가 아닌 사람들조차 그러한 잘못의 심각함을 인정한다. 예를 들어 살인은 대죄며, 보편적으로 범죄로 인정된다. 중절도죄 · 위증죄 · 간음죄 등도 마찬가지다. 그 외 다른 '중대한 문제'는 신앙인의 눈에만 보인다. 예를 들어 주일미사에 참례하지 않는 것도 대죄다.

고해성사를 볼 때마다 우리는 마지막으로 고백한 이후로 자신이 지은 모든 대죄를 빠짐없이 고백해야 한다. 어떤 대죄를 범했는지, 몇 번 범했는지 분명하게 밝혀야만 한다. 어떤 대죄든 고백에서 누락시킨다면 유효한 고백이 성립되지 않는다. 사실 의도적으로 대죄를 고백에서 누락시키는 행위 자체가 대죄에 속한다. 성사란 하느님 앞에서 하는 약속이며 맹세이기에 그러한 은닉 행위는 일종의 위증을 의미한다.

교회 교리는 '죽을 정도는 아닌 죄'들은 반드시 고백해야 하는 것은 아니라고 가르치면서 '일상적인 잘못(소죄)'이라 부른다. 하지만 교회와 성인들과 신비가들은 예부터 이를 고백하도록 장려해 왔다.(「교리서」 1458항)

고해성사를 볼 때 우리가 고백할 죄의 내용을 하느님께서는 이미 다 아신다는 사실을 명심할 필요가 있다. 그분은 우리보다도 우리 죄를 더 잘 아신다. 아담에게 고백할 기회를 주셨지만 그분은 이미 아담의 죄를 아셨다. 카인의 경우도 마찬가지였다. 그분은 당신을 위해서가 아니라 우리를 위해 고백할 기회를 주시는 것이다. 죄 고백이 거룩함으로 나아가는 치유 과정에 필요한 단계이기 때문이다.

죄 고백은 필요한 절차지만 고해사제가 죄인의 고백을 일일이 듣고 사죄경을 외울 여유가 없는 경우도 있다. 많은 사람에게 죽음의 위험이 코앞에 닥친 극단적인 긴급 상황, 예를 들어 전쟁의 포화 속이나 추락하는 여객기 안에서는 사제가 '일괄 사죄경'을 해줄 수 있다. 그러나 죄를 일일이 고백하는 절차가 사면되는 경우에도 당사자들은 반드시 자신의 죄를 미워하는 마음을 가져야 한다. 이런 특수한 경우에도 고해성사를 받은 당사자들이 혹 생존하게 되면 되도록 빠른 시일 내에 정상적인 고해성사를 다시 보아야 한다.

**고해사제가 정해 준 '속죄' 행위나 '보상' 곧 보속을 이행해야 한다** 사제에게 죄 사함을 받은 후에는 고해사제가 정해 준 속죄를 이행해야 한다. 그것은 기도일 수 있고 봉사나 자선일 수도 있으며, 단식과 같은 자발적인 절제나 희생이 될 수도 있다. 이러한 보속들은 일반적으로 지은 죄의 경중과 특성에 따라 정해진다. (「교리서」 1460항)

보속은 잊어버리지 않도록 곧바로 신속하게 이행하는 것이 중요하다. 혹 잊어버릴 경우에도 죄 사함은 그대로 유효하지만 영적으로 성장할 수 있는 절호의 기회를 잃게 되는 것이니, 그로써 한 가지 소죄를 범하게 된다.

죄는 전능하신 하느님의 마음을 상하게 해드리는 것이기 때문에 우리가 행하는 보잘것없는 보속 행위로 모든 것이 온전히 회복될 수는 없다. 잘못을 저지른 상대가 권위나 위엄을 갖춘 사람일 때 우리 잘못은 훨씬 더 크게 느껴지지 않던가. 예를 들어 사소한 시비로 이웃에게 주먹을 날리는 일과 대통령의 얼굴에 주먹을 날리는 일은 엄청난 차이가 있다. 앞의 경우에는 기껏해야 민사 소송으로 끝나겠지만, 후자의 경우에는 감옥에 갈 것이 확실하며, 현장에서 경호원들의 총에 맞을 수도 있다. 하느님보다 높은 위엄을 갖춘 이는 없다. 그분은 위엄이 지극하신 분이다. 그러므로 우리가 그분께 저지른 잘못은 진실로 기워 갚을 수 없다.

하지만 우리에게 부족한 것을 그리스도께서 성사를 통해 채워주신다. 바로 이것이 성사가 존재하는 이유다. 근본적으로 화해는 우리 몫이 아니다. 그것은 그리스도께 속한 것이며 그분은 십자가 위에서 그 일을 이루셨다. 성사를 통해 우리는 그분의 은총으로 위대한 업적에 참여하며 혜택을 입는다.

그렇다면 속죄 행위(보속)는 자신이 범한 죄로 말미암아 상대에게 입힌 손해를 보상하기 위한 것일 뿐 아니라 그리스도와 맺는, 또한 교회와 맺는 사랑의 유대를 회복하고 강화하기 위한 것이다. 이런 맥락에서 「교리서」의 본문을 다시 한 번 인용하지 않을 수 없겠다. "이러한 보속들은 우리가 우리 죄 때문에 한 번에 영원히 속죄하신 그리스도를 닮도록 도와준다. 보속은 '우리가 그리스도와 함께 고난을 받기(로마 8,17) 때문에 우리를 부활하신 그리스도와 함께 공동 상속자가 되게 해준다."(1460항)

## 고해성사의 집전자

우리의 죄 고백을 받아주시는 분은 누구인가? 예수 그리스도이시다. 오직 하느님만이 죄를 용서하실 수 있다. 그런데 예수 그리스도께서는 용서하는 권한을 당신의 교회, 구체적으로는 사제에게 위임하셨다. 예수께서는 당신의 사도들, 곧 첫 사제들에게 성령을 불어넣으시며 이렇게 말씀하셨다. "성령을 받아라. 너희가 누구의 죄든지 용서해 주면 그가 용서를 받을 것이다." 여기서 요한복음서는 공관복음서에서 예수님의 용서하는 능력과 권한을 묘사하는 데 사용한 그리스어 동사를 그대로 사용한다.(루카 7,48; 마태 9,2 참조) 어떤 의미에서 달라진 것은 아무것도 없다. 용서하는 권한은 여전히 오직 하느님께 있다. 다만 이제는 확실한 성사의 표징으로서 당신의 이름으로 죄를 용서할 권한을 제자들에게 위임하신 것이다.

그리스도께서는 사제를 통해 죄인을 용서하시고 저지른 잘못을 기워 갚을 수 있도록 그 길을 마련해 주신다. 사제는 속죄 방법을 정해 준다. 교회 역시 죄인을 위해 기도하며 그의 속죄 행위에 동참한다. 그뿐 아니라 참회자는 사제에게 죄의 유혹을 이겨내고 성덕으로 나아가는 데 도움이 될 만한 조언을 듣는다.

사제가 하는 가장 중요한 일은 죄 사함의 선언이다. 참회자 편에서 해야 할 일, 곧 통회 · 고백 · 보속을 모두 이행했다면 죄 사함의 선언인 사죄경은 참회자의 영혼에 엄청난 작용을 한다. 사죄경은 우리 죄를 못 본 척하겠다는 하느님의 약속이 아니다. 사죄경을 이렇게 오해하는 것은 옳지 않으며, 전지전능하고 영원하신 하느님께 있을 수 없는 일이다.

사죄경은 단지 사제가 웅얼거리는 알아듣기 힘든 말이 아니다. 그것은 하느님의 권능 있는 말씀이다. 이는 태초에 만물을 있게 하신 말씀이요, 제자들에게 빵을 나누어 주시며 당신의 몸이라 선언하신 권위있는 말씀이다. 하느님의 말씀은 창조적이고 유효하며 사죄경 역시 권위있는 말씀이다. 창조란 무에서 유를 이끌어 내는 것이다. 하느님은 죄 사함의 말씀으로 마치 새로운 피조물을 창조하시듯 우리를 새롭게 만드신다. 다윗 왕은 온 마음을 다해 이렇게 기도했다. "깨끗한 마음을 제게 만들어 주시고…."(시편 51,12) 하느님은 이러한 진실한 기도에 응답하겠노라고 약속하셨다. "새 마음을 주고 너희 안에 새 영을 넣어주겠다. 너희 몸에서 돌로 된 마음을 치우고, 살로 된 마음을 넣어주겠다."(에제 36,26)

이 말씀은 참회자가 대죄를 고백하고 난 후에 가장 분명하게 알 수 있다. 대죄를 지은 죄인은 무덤에 나흘이나 누워 있던 라자로보다도 더한 죽음의 상태에 있음이 분명하기 때문이다.(요한 11,38-44 참조) 대죄는 죽은 이의 시체에서 나는 악취보다 더 불쾌하고 역겹다. 대죄는 라자로의 시신을 휘감고 있던 붕대처럼 사람의 손과 발을 묶어 선을 행하지도, 사랑을 경험하지도, 평화를 누리지도 못하게 할 만큼 깊은 영향을 미친다.

그러나 사죄경으로 모든 것이 달라진다. 참회자가 사죄경을 듣는 순간 그는 오래전 무덤 속에서 "라자로야, 나오너라!" 하고 외친 예수님의 음성을 들었던 사자死者만큼이나 충격을 받는다. 죄는 육체의 생명이 멈추는 것보다도 더한 죽음이다. 그리스도는 무덤에서 라자로를 일으키신 것보다 더 큰 기적을 죄 사함의 말씀을 통해 행하신 것이다.

교회 전승은 이 기적을 '부활의 은총'이라고 한다. 그것은 한 신학자가 설명한 바와 같이 '영적으로 죽은 이가 은총으로 생명을 얻어 일으켜지기' 때문이다. 또한 '치유의 은총'이라고 일컫기도 하는데 이는 '죄인의 자발적인 협력과 고해성사로 죄의 상처가 아물고 치유되기 때문이다'.

사죄경에는 고해성사의 본질적 요소가 모두 담겨 있다.

인자하신 천주 성부께서,
당신 성자의 죽음과 부활로
세상을 당신과 화해시켜 주시고
죄를 사하시기 위하여 성령을 보내주셨으니
교회의 직무 수행으로

몸소 이 교우에게 용서와 평화를 주소서.

나도 성부와 성자와 성령의 이름으로
이 교우의 죄를 사하나이다. 아멘.

### 죄를 고백하는 데 사제가 꼭 필요한가?

가톨릭 신자가 아닌 사람들은 죄 고백과 용서의 과정에서 사제는 불필요하다고 이의를 제기한다. 다시 말해 그리스도인들은 자기 죄를 직접 하느님께 고백할 수 있다는 말이다. 물론 그렇게 할 수 있다. 하지만 하느님이 뜻하신 방법으로 고백하지 않는 한 사람 편에서는 죄의 용서 여부를 확신할 수 없다. 예수께서 제자들에게 죄를 용서하는 권한을 맡기신 요한복음서에 대해 이미 말한 바 있다. 야고보 서간 말씀 중에서 죄의 고백과 관련해 간곡하게 권고하는 부분에 대해서도 이미 언급한 바 있다. 성사에 관한 신약성경의 근거는 확고하며, 그 성경 구절들은 그리스도교 초기 공동체 때부터 고해성사를 뒷받침하는 근거로 줄곧 인용되어 왔다.

하느님께서 당신 권한을 사람들에게 나누어 준다고 해서 그분의 주권이 위협을 받는 것은 아니다. 하느님의 주권에는 변화가 없고 권한은 오직 그분에게 속한다. 그리스도께서는 사제들 뒤에 서 계신 진정한 사제다. 그분은 사제들 안에 계시는 사제로 사제들을 통해 활동하신다. 그러므로 우리가 사제에게 고백하는 행위는 그리스도께 직접 고백하는 행위의 대안이 아니다. 우리가 자비로우신 주님을 찾으면 그분은 우리에게 고해성사를 받으라고 이르신다. 그분은 우리 영혼의 건강을 위해 성사라는 수단을 마련하신다. 아프면 의사에게 가서 적절한 처방전을 받고 그에 따라 약을 먹어야 한다. 그리고 의사의 조언을 따라야 한다. 우리가 의사의 조언을 따르는 것은 그 권위를 인정하고 신뢰하기 때문이다. 죄도 이와 마찬가지다.

초대교회 그리스도인들은 누구에게 죄를 고백해야 하는지 잘 알고 있었다. 4세기의 성 바실리오는 이렇게 말했다. "죄의 고백은 하느님의 성사를 집행할 권한을 위임받은 이들한테만 해야 한다." 4세기의 성 암브로시오도 이런 말을 했다. "그리스도께서 이 권한을 사도들에게 위임하셨고, 사도들은 그 권한을 사제들한테 전달했다." 5세기의 성 요한 크리소스토모는 그 권한의 위엄을 다음과 같이 표현했다. "사제들이 하느님께 받은 권한은 천사들도 대천사들도 받지 못한 것이니 사제들은 우리 죄를 용서할 권한을 받았다."

오직 하느님만이 초자연적 능력으로 기적을 행하실 수 있지만 때로는 모세와 같은 목자를 부르시어 인간의 능력을 초월하는 기적을 행하게 하신다. 하느님께서 이 세상 수단을 이용하시는 이유는 당신 영광을 드러내기 위함이다. 아비가 넘어진 자식을 안아 일으키듯 죄에 떨어진 우리 영혼을 되살리심으로써 당신 영광

이 드러나게 하시려는 것이다. 그러므로 하느님만이 하실 수 있는 일을 사제가 행한다고 하여 그 사제가 하느님의 권위를 손상시킨다고 보아서는 안 된다. 그것은 오히려 하느님께서 아버지처럼 우리를 돌보신다는 증거다.

더구나 하느님께서 언제나 하시던 방법대로 계약, 서약, 가족의 유대, 축복을 통해 그렇게 하신다. 그래서 우리는 고해성사를 볼 때마다 "성부여, 강복하소서."라는 말로 시작한다.

# 5 무엇이 잘못인가?

'세상이 왜 이 모양인가?'라는 물음은 제법 심각하고 지루한 강론으로 이어질 수 있다. 또는 그 답을 찾기 위해 문명의 쇠퇴에 관한 두꺼운 전문 서적을 뒤져볼 수도 있다. 그런데 체스터턴은 한마디로 "나 때문이다." 하고 말했다.

이것이 고백의 핵심이다. 죄를 고백한다는 것은 자신이 저지른 잘못과 그 결과에 대해 책임을 진다는 것이요, 정직하게 자기 자신을 탓하며, 그 잘못이 궁극적으로는 오로지 자신의 결정이었음을 변명하거나 부인하거나 둘러대지 않고 인정하고 받아들이는 것이다.

그것은 그리 쉬운 일이 아니다. 때때로 작은 잘못에는 약간의 책임이 있음을 인정하기도 하지만 대개는 곧이어 '하지만…'이라는 말로 책임을 최소화하기 위해 전후 사정이 이어지기 일쑤다. "남들도 다 하던데…", "상사의 지시를 따른 것뿐입니다",

"제가 그런 사정을 어떻게 알겠습니까?", "부모님이 저를 그렇게 키웠어요." 심지어는 필립 윌슨이라는 코미디언의 유명한 책임 회피용 발언까지 동원된다. "악마가 저를 조종했어요."

'세상이 왜 이 모양인가?'라는 물음에 답하기 위해 국가 · 교회 · 세계의 잘못된 부분을 분석해 그럴 듯한 진단을 내리는 건 그리 어려운 일이 아니다. 곧 가족 중심 가치관의 붕괴, 생태계 파괴, 최근에 드러난 교회 내 도덕적 위기를 지적할 수 있다. 그러나 미사 때 일어서서 진심으로 다음과 같이 고백하기 위해서는 젖 먹던 힘까지 동원해야 한다. "하느님과 형제들에게 고백하오니 생각과 말과 행위로 죄를 많이 지었으며 자주 의무를 소홀히 하였나이다. 제 탓이요, 제 탓이요, 저의 큰 탓이옵니다."

## 죄의 분류

고해소에 들어가 무릎을 꿇고 죄를 낱낱이 아뢰기 위해서는 더 큰 용기가 필요하다. 하느님과 친밀한 관계를 회복하고 싶다면 용감해야 한다. 우리는 누구나 하느님의 현존을 느끼고 싶어하고, 그분의 도움을 바라며, 그분의 사랑을 받고 싶어한다. 그러나 이 모든 것은 그분의 선하심과 올바르심과 공정하심에 대한 깊은 깨달음이 선행되어야 가능하다. 이사야 예언자는 불현듯 영광에 싸여 천사들의 시중을 받으시는 하느님의 현존 앞에서 있음을 깨닫게 되었다. 그때 예언자는 무엇을 했는가? 죄를 고백했다. "큰일났구나. 나는 이제 망했다. 나는 입술이 더러운 사람이다. 입술이 더러운 백성 가운데 살면서 임금이신 만군의 주님을 내 눈으로 뵙다니!"(이사 6,5) 사도 베드로는 작은 기적을 목격하고는 곧바로 예수님의 발 앞에 엎드려 간청했다. "주님, 저에게서 떠나주십시오. 저는 죄 많은 사람입니다."(루카 5,8)

죄는 저 바깥 어딘가에 있는 것이 아니다. 당신과 나의 내면 깊은 곳에 있다. "마음에서 나쁜 생각들, 살인, 간음, 불륜, 도둑질, 거짓 증언, 중상이 나온다. 이러한 것들이 사람을 더럽힌다."(마태 15,19-20)

세상이 왜 이 모양인가? 나 때문이다. 내가 죄를 짓기 때문이다. 그리고 죄는 내 마음의 어두운 곳에서 나온다.

사실 단 한두 마디로 말할 수 있는 단순한 문제이다. 그렇지만 죄 자체는 매우 복잡하며 여러 형태로 분류된다. "다른 모든 인간 행위와 마찬가지로 죄도 그 대상이나, 과도함이나 부족함을 통해서, 그 악과 대립되는 덕에 따라서, 죄가 위반하는 계명에 따라서 구분할 수 있다. 죄가 하느님께 관련된 것인지 아니면 이웃이나 자기 자신에 관련된 것인지에 따라 분류할 수도 있고, 정신적인 것과 육체적인 것으로 나눌 수도 있으며, 또는 생각이나 말이나 행실이나 궐함으로 짓는 죄로 구분할 수도 있다."(「교리서」 1853항)

여기서는 죄의 유형에 대한 기본 목록을 정리해 보고자 한다.

유쾌한 일은 아니지만 누군가는 해야 할 일이 아니겠는가. 그리고 그 누군가는 바로 여러분과 나다.

## 은총

은총에 대한 이해가 없으면 죄를 이해할 수가 없다. 먼저 자신이 가지고 있는 것이 무엇인지를 알아야 무엇을 잃는지도 알 수 있지 않겠는가? 죄를 지을 때 우리가 잃는 것은 은총이니, 그보다 더 큰 상실이 어디 있겠는가?

우리는 세례로 '하느님의 본성에 참여하게'(2베드 1,4) 된다. 다시 말해 우리는 하느님의 외아들인 그리스도와 결합되어 하느님의 자녀라는 지위를 공유하며 성삼위의 내적 삶에 참여하게 된다. 그렇다면 세례의 근본적인 효력은 하느님의 가족에 입양되는 것이다. 입양된 자녀로서 그리스도인은 외아들 그리스도와 하나 되어 하느님을 '아버지' 라 부르게 된다.

우리가 받게 되는 이 영원한 생명을 성화 은총이라 부른다. 영어의 grace(은총)는 그리스어 카리스χάρις를 옮긴 것으로 '선물'이라는 뜻이다. Sanctifying(성화)은 '성스럽게 만들다'라는 라틴어를 옮긴 것이다. 하느님 홀로 거룩하시나 거저 주시는 선물을 통해 당신의 성스러움을 공유하게 해주시는 것이다. 이보다 좋은 선물이 어디 있겠는가.(「교리서」 1997항)

교회 전승은 이렇게 가르친다. "성화 은총은 사람이 하느님과 함께 살고, 하느님의 사랑으로 행동할 수 있도록 그 사랑을 완전하게 하는 상존常存 은총이며, 지속적이고 초자연적인 성향이다.(「교리서」 2000항) 이런 삶을 영위하는 것이 곧 은총 안에서 생활하는 것이다.

우리는 이 선물을 받아들일 수도 있고 죄를 지음으로써 거부할 수도 있다. 하느님의 마음을 상하게 해드리는 생각이나 말, 행위나 태만, 그 어떤 행위도 죄이며, 하느님의 법을 어기거나 창조 질서를 어지럽히는 것도 죄다.

## 태만

아무것도 하지 않고도 죄를 지을 수 있다는 사실에 주목하라. 행동하지 않음으로써, 침묵함으로써, 마땅히 해야 할 일을 하지 않음으로써 죄를 지을 수 있다. 때로 이런 죄는 소홀함과 무관심에서 비롯되기도 하고, 때로 선택에서 비롯되기도 하지만 어떻든 죄가 된다.

히브리인들에게 보낸 서간에서는 다음과 같이 증언한다. "천사들을 통하여 선포된 말씀이 유효하고, 그것을 어기거나 따르지 않는 자들은 모두 정당한 벌을 받았는데, 하물며 우리가 이렇듯 고귀한 구원을 소홀히 하면 어떻게 벌을 피할 수 있겠습니까?" (2,2-3) 예수께서는 마태오복음에서 최후 심판과 지옥불에 대해서 말씀하시면서 태만 죄를 집중적으로 다루셨다. "'주님, 저희가 언제 주님께서 굶주리시거나 목마르시거나 나그네 되신 것을 보고, 또 헐벗으시거나 병드시거나 감옥에 계신 것을 보고 시중들지 않았다는 말씀입니까?' 그때에 임금이 대답할 것이다. '내가 진실로 너희에게 말한다. 너희가 이 가장 작은 이들 가운데 한 사람에게 해주지 않은 것이 바로 나에게 해주지 않은 것이다.'" (25,44-45)

소홀함으로써, 다시 말해 당연한 주의를 기울이지 않거나 무시함으로써 범하게 되는 죄 또한 소홀히 해서는 안 된다. 치명적일 수 있기 때문이다. 예를 들어 깜박하는 바람에 주일미사에 참례하지 않았다는 것은 변명이 되지 않는다. '천사들을 통하여 하신 말씀'은 주님의 날을 반드시 '기억하여' 거룩하게 지낼 것을 명한다. 잊는 것은 기억하라는 명에 대한 직접적 위반이며 거역이다. 따라서 일상생활에서도 그렇지만 도덕적 생활에서 태만은 치명적이다.

신체 일부를 절단하면 수명을 단축시킬 수 있고 자살로 삶을 마감하기도 하듯이, 우리의 초자연적 삶도 죄로 말미암아 해를 입기도 하고 끝장나기도 한다. 우리는 성사를 통해 받은 은총의 삶을 고해성사로 새롭게 해야 한다.

## 죽을죄

이제 앞에서 간략하게 다루었던 죄의 유형에 대해 본격적으로 알아볼 차례다. 죄에는 크게 소죄와 대죄가 있다. 간단하게 말하면 소죄는 초자연적 삶에 해를 입히며 대죄는 초자연적 삶을 끝장낸다. 소죄가 영적 질병을 의미한다면, 대죄는 영적 죽음을 뜻한다.

대죄는 세상의 어떤 무기나 질병보다도 확실하게 생명을 파괴한다. 대죄를 범한 사람은 사망한 지 일주일된 시체보다 더 심한 악취를 풍긴다고 해도 과언이 아니다. 그의 정신과 육체가 멀쩡하게 살아 있다고 해도 말이다.

예수께서 제자들에게 두려워하라고 하신 유일한 것이 바로 이 죽음이다. "육신은 죽여도 영혼은 죽이지 못하는 자들을 두려워하지 마라. 오히려 영혼도 육신도 지옥에서 멸망시키실 수 있는 분을 두려워하여라."(마태 10,28) 지옥 곧 요한묵시록에 증언된 '불과 유황 못'은 자의로 대죄를 범한 사람에게 닥칠 궁극적 결과다. 어떤 사람 안에서 영원한 생명이 더 이상 숨 쉬지 못하면, 그 사람은 하느님의 생명에 참여하지 못하게 된다. 그리스도와 친교가 없는 사람은 성삼위의 삶에도 참여할 수 없다.

대죄의 필수 구성 요건 세 가지는 중대한 사안, 충분한 지식, 고의적 동의다. 교회 전승과 성경은 어떤 종류의 죄가 대죄에 속하는지 명확하게 진술한다. 물론 어떤 특정한 행위가 죄스러운 것인지 몰랐을 때(잘못 알고 있었을 때), 또는 온전히 자기 의지대로 행동할 수 없었을 때(타인의 강압이나 조종을 받고 있었을 때)는 어느 정도 그 사람의 죄책감은 덜어질 수도 있다. 그러나 이러한 조건을 지나치게 느슨하게 적용하려는 유혹을 피해야 한다. 교회의 도덕적 가르침에 대한 무지라든지, 범죄의 계기가 된 어떤 특정한 상황에 놓이게 된 데는 자신에게 어느 정도 책임이 있기 때문이다. 고해성사가 유효하기 위해서는 마지막 고해성사 이후 자신이 범한 모든 대죄를 빠짐없이 고백해야 한다.

## 치명적 완고함

결코 용서받을 수 없을 만큼 치명적인 죄가 과연 존재할까? 예수께서는 그렇다고 말씀하셨다. "어떠한 죄를 짓든, 신성을 모독하는 어떠한 말을 하든 다 용서받을 것이다. 그러나 성령을 모독하는 말은 용서받지 못할 것이다. 사람의 아들을 거슬러 말하는 자는 용서받을 것이다. 그러나 성령을 거슬러 말하는 자는 현세에서도 내세에서도 용서받지 못할 것이다."(마태 12,31-32)

신학자 · 성인 · 보통 사람들은 지난 2천년 동안 이 성경 말씀에 대해 논의해 왔다. 어떤 이들은 그 의미를 지나치게 확대 해석함으로써 사람들이 대부분 천국에 가지 못하리라는 쪽으로 이해했다. 반면에 또 다른 이들은 그 의미를 지나치게 축소 해석함으로써 용서받지 못할 죄를 범하기란 거의 불가능한 것으로 이해했다.

교회의 가르침은 언제나 그렇듯 완벽한 균형에 일격을 가한다. 먼저 교회는 우리가 스스로를 용서받지 못할 처지로 몰아갈 수 있음을 경고한다. 「교리서」는 이렇게 설명한다. "하느님의 자비에는 한계가 없다. 그러나 뉘우침으로 하느님의 자비를 받아들이기를 일부러 거부하는 사람은 자기 죄의 용서와 성령께서 베푸시는 구원을 물리치는 것이다. 이러한 완고함은 죽을 때까지 회개하지 않게 하고 영원한 파멸로 이끌어 갈 수 있다."(1864항)

맞는 말이다. 팔다리를 잘라냈다면 올림픽 10종 경기에서 우승할 희망은 갖지 않는 것이 옳다. 우리가 회개하기를 아예 거부한다면 용서받으리라는 기대는 하지 않는 것이 옳다.

예수께서 눈이 멀고 말을 못하는 사람을 치유해 주신 기적 이야기에서 예수를 모함한 바리사이들은 자기 잘못을 뉘우치기를 거부했을 뿐 아니라 하느님의 아들에게 가장 사악한 죄목을 뒤집어씌우려 했다. 그들은 예수님의 능력이 하늘에서 오는 것임을 인정하지 않았을 뿐 아니라 예수가 '마귀 우두머리 베엘제불의 힘을'(마태 12,24) 빌려 기적을 행하는 것이라며 모함했다. 그들이야말로 참으로 영적으로 눈이 먼 사람들이다. 그들의 잘못을 거울삼아 우리는 '거룩한 두려움(경외심)'을 잃지 않도록 스스로를 되돌아보아야 한다. 결코 단념하거나 포기해서는 안 된다.

그렇다면 이러한 죄는 드물게 저질러지는 것일까, 흔하게 저질러지는 것일까? 교황 요한 바오로 2세는 다음과 같이 말한다. "이러한 완고한 태도나 심지어 하느님을 무시하는 태도를 끝까지 고집하는 이들이 극소수이기를 바라는 마음 간절하다." 교황은 이어 토마스 데 아퀴노 성인의 말을 인용한다. "전능하시고 자비로우신 하느님의 본성을 기억한다면 이승에서 누군가는 구원받지 못하리라고 단념해서는 안 된다."

## 결코 무시할 수 없는

"모든 불의는 죄입니다. 그러나 죽을죄가 아닌 것도 있습니다."(1요한 5,17) 상대적으로 덜 중대한 잘못을 일컬어 우리는 '소죄'라고 한다. 세상에 죄가 되지 않는 거짓말이란 존재하지 않는다. 하지만 모든 거짓말이 위증이나 모함처럼 죄질이 무거운 것은 아니다. 과연 위증은 대죄 곧 죽을죄다. 그러나 허영심에서 자신의 나이를 속이는 일은 소죄에 속한다고 볼 수 있다.

소죄는 우리의 마음(의지)을 약화시킨다. 그것은 우리를 죽이지는 않지만 영적으로 상처를 입힌다. 교황 요한 바오로 2세는 이렇게 말한다. "소죄를 지은 사람은 그 죄로 말미암아 성화 은총, 하느님과의 친교, 자애심, 영원한 행복을 잃지는 않는다." 소죄를 미처 고백하지 않은 채 죽는다 해도 천당에 갈 수는 있지만 먼저 소죄를 깨끗하게 씻어내야 한다. '부정한 것은 그 무엇도'(묵시 21,27) 하느님의 영원한 생명으로 들어가지 못하기 때문이다.

소죄를 반드시 고백해야 할 의무는 없다. 그것은 다른 방법으로 용서받을 수 있다. 예를 들어 성체를 영할 때마다 우리의 소죄는 깨끗이 씻어진다. 진심으로 통회의 기도를 바치면서 소죄를 용서해 달라고 청할 수 있고 또 용서받을 수 있다. 성경에서는 다른 이들이 대신해 주는 기도를 통해서도 소죄를 용서받을 수 있다고 말한다. "누구든지 자기 형제가 죄를 짓는 것을 볼 때에 그것이 죽을죄가 아니면, 그를 위하여 청하십시오. 하느님께서 그에게 생명을 주실 것입니다. 이는 죽을죄가 아닌 죄를 짓는 이들에게 해당됩니다."(1요한 5,16)

그렇다 하더라도 자신이 지은 소죄를 알아내어 고해성사를 보고 용서를 청함으로써 그것들을 극복해 나가는 것이 가장 바람직하다. 이렇게 하면 고해성사의 은총을 통해 앞으로는 그런 죄의 유혹을 물리칠 수 있는 힘을 얻는다. 그리고 그 은총에 응답하기 위한 속죄 행위와 관련해 구체적이고 유용한 조언을 고해사제에게 들을 수도 있다.

소죄를 고백하는 일은 '심리적 훈련'이 아니다. 그것은 오히려 '세례성사의 은총을 유지하려는 지속적 헌신이다. 우리는 예수 그리스도의 죽음을 지니고 있으나 한층 드러나는 것은 언제나 그분의 생명인 것이다'. 아무리 작더라도 그 어떤 죄도 영원히 죄 없으신 그리스도의 생명과 공존할 수 없다. 그분의 생명 안에서 성장하기를 바란다면, 그분의 생명이 우리 안에서 꽃피우기를 바란다면 결코 죄를 짓지 않겠다는 결심을 해야 한다. 아니, 적어도 그 횟수를 줄이겠다는 결심은 서야 한다.

계속 소죄에 빠진다 하더라도 낙심할 필요는 없다. 하지만 그런 죄를 완전히 끊어버리겠다는 결심을 포기해서는 안 된다. 소죄가 우리에게 미치는 악영향을 결코 무시할 수 없기 때문이다. 다시 말해 거짓말에도 경중이 있긴 하지만 '대수롭지 않은' 거짓말이나 '죄 없는' 거짓말이란 존재하지 않는다. 요한 바오로 2세는 이렇게 말한다. "소죄가 그 죄를 지은 당사자에게 위험한 상처를 입힐 수 있다는 사실을 잊어서는 안 됩니다." 소죄, 특히 습관적인 소죄는 대죄에 대한 저항력을 약화시킨다. 소죄란 은총의 삶과 대죄 사이의 위태로운 경계선이라 할 수 있다.

이러한 죄 곧 소죄를 고백함으로써 우리는 죄에 대한 강한 저항력을 갖게 된다. 요한 바오로 2세는 말한다. "성사를 통한 용서를 기대하여 이러한 죄, 곧 소죄들을 고백하는 것은 하느님 앞에 선 죄인으로서 우리의 처지를 더 깊이 깨닫는 데 아주 큰 도움이 됩니다." 이렇게 성사의 은총과 유익한 권고로 무장한 우리는 완전함을 향해 결연히 나아가야 한다. 이렇게 죄를 뉘우치는 그리스도인은 더욱 성숙해지며 그리스도의 충만한 경지에 다다르게 된다.(에페 4,13) 그뿐 아니라 사랑으로 진리를 말하고 모든 면에서 자라나 그분에게까지 이르러야 한다. 그분은 머리이신 그리스도이시다.(4,15)

### 죄의 연대성

모든 죄는 개인의 행위다. 어떤 사람이 대죄든 소죄든 어떤 특정한 죄를 저지르는 것이다. 그러나 개별적으로 고립된 죄는 존재하지 않는다. 죄는 또 다른 죄를 부르는데, 이는 죄를 지은 당사자한테만 국한되지 않고 다른 이들까지 끌어들인다. 한 사람이 죄를 짓게 되면 그로 말미암아 도덕적 분위기에 변화가 생긴다.

처음에는 그 변화가 알아차릴 수 없을 만큼 미미할지 모르지만 다른 많은 사람의 흠과 관련을 맺으면서 눈덩이처럼 커진다. 한 사람의 작은 죄가 주변에 있는 사람에게 좀 더 큰 죄를 지을 수 있도록 암묵적으로 허가하는 꼴이 되어 이 타락의 과정은 계속된다. 누군가가 타락에서 벗어날 결단을 내릴 때까지 말이다.

모든 죄에는 사회적 차원이 있다. 더욱이 다른 사람들의 죄에 협력하면 거기에 대해서도 책임이 있다. 다시 말해 그 죄에 직접, 고의적으로 관여함으로써, 그 죄를 명령하거나 권고하거나 칭찬하거나 승인함으로써(심지어는 웃음을 지어 보임으로써), 알릴 의무가 있는데도 알리지 않거나 막을 의무가 있는데도 막지 않음으로써, 악을 행하는 사람들을 보호함으로써 죄에 협력한다면 말이다.(「교리서」 1868항)

우리는 죄의 방관자가 되어서는 안 된다. 다른 사람들이 죄짓는 것을 알고 있는 한 우리는 무언가를 해야 할 도덕적 책임이 있다는 말이다. 성 암브로시오는 이렇게 말한다. “태만한(무책임한) 말 한마디 한마디에 대해서뿐 아니라 태만한(무책임한) 침묵에 대해서도 우리는 책임을 져야 한다.”

성경에서 무책임함을 보여주는 전형적 인물이 카인임을 기억하는가? 그는 “제가 아우를 지키는 사람입니까?”라며 모른 척

잡아뗀다. 이 반문은 그의 병든 마음을 드러낸다. 그는 아벨의 형이 아니었던가! 그 사실 하나만으로도 그가 아우에게 관심을 가져야 할 충분한 이유가 된다. 우리가 하느님의 자녀라면 다른 이들을 형제자매로 이해해야 한다. 그러므로 그들이 어떤 잘못을 저지르면 그것을 바로잡아 주어야 하고 성장할 수 있도록 도움을 주어야 한다. 또한 우리가 잘못된 길을 갈 때 형제들이 바로잡아 줄 것이라고 믿어야 한다. 그래야 제대로 된 형제요 가족이 아니겠는가?

우리가 고백하는 죄들은 '개인의 죄'요 '실제적인 죄'다. 내가 저지른 죄는 내 죄요, 네가 저지른 죄는 네 죄다. 우리 각자는 자신이 지은 죄에 대해 책임이 있다. 그러나 우리에게 영향을 미치고 나약하게 만드는 것은 그 죄들만이 아니다. 우리는 사회 안에 존재하고 한 가정 안에서 생활하므로 어쩔 수 없이 다른 이들이 지은 죄의 영향을 받는다. 죄를 지은 당사자는 개별적으로 존재하지만, 모든 죄는 하나의 계보에 통합된다. 어떤 의미에서 모든 죄는 원죄에서 비롯된다.

## 두 종류의 죽음

원죄란 무엇인가? 창세기로 돌아가 과연 이 죄가 어떻게 시작되었는지 살펴보자. 하느님께서는 최초의 사람인 아담을 은총 안에서 살도록 창조하셨다. 하느님께서 '코에 입김을 불어넣으심'

으로써 베푸신 은총으로 아담은 아들의 지위를 받았다. 아담은 초자연적 생명뿐 아니라 완전한 능력과 재능, 예를 들면 불사불멸의 삶과 초인적 능력을 갖춘 지성을 받았다. 게다가 완벽한 아내와 함께 낙원에 살면서 온 땅을 지배했다.

그 대가로 하느님께서는 한 가지만 당부하셨다. "주 하느님께서는 사람에게 이렇게 명령하셨다. '너는 동산에 있는 모든 나무에서 열매를 따 먹어도 된다. 그러나 선과 악을 알게 하는 나무에서는 따 먹으면 안 된다. 그 열매를 따 먹는 날, 너는 반드시 죽을 것이다.'"(창세 2,16-17) 아무리 생각해도 정말 아무것도 아닌 조건처럼 보인다. 이 세상 전부와 영원히 죽지 않는 생명을 받는 대신, 한 나무에 열린 과일만 먹지 않으면 된다니! 너무도 쉬운 조건 아닌가. 그런데 아담과 하와에겐 가장 가혹한 시련이 된다!

여기서 잠깐 히브리 성경에 기술되어 있는 기묘한 표현에 대해 짚고 넘어가야겠다. '너는 반드시 죽을 것이다'라고 번역한 부분은 히브리 성경 본문과 다소 차이가 있다. 히브리 성경 본문에는 '죽는다'는 어휘가 연거푸 두 번 나온다. '너는 반드시 죽으리라, 죽으리라.'로 표현되어 있다. 히브리어에서 말마디의 반복은 그 내용을 심화 · 강조하는 것으로 알려져 있다. 그렇지만 '죽는다'는 말이 반복된다는 것은 좀 이상하지 않은가? 인간이 두 번 죽을 수는 없는 일인데다 더 확실히 죽는다는 것도 있을 수 없으니 말이다.

그렇다면 무엇을 의미하는 것일까? 히브리 성경 주석의 거장인 알렉산드리아의 필로는 죽음에는 두 가지가 있다고 말한 바 있다. 곧 몸의 죽음과 영혼의 죽음이다. "사람의 죽음이란 몸과 영혼의 분리다. 그러나 영혼의 죽음은 덕이 사멸하고 그 자리에 사악함이 들어섬을 의미한다. 그러므로 하느님께서는 '죽는다'고 말씀하시지 않고 '죽음을 죽는다'고 말씀하신 것이며, 이는 일반적인 죽음을 뜻하는 것이 아니라 영혼이 온갖 사악함으로 가득 차게 되는 이례적인 죽음을 가리키는 것으로 알아들어야 한다. 그리고 이 죽음은 우리가 맞이할 죽음과 상반된다."

그런데도 아담은 바로 그 죽음을 선택했다.

## 뱀

아담의 선택은 정신이상이거나 어리석다고 말할 수밖에 없는 것 같다. 하지만 그 어느 쪽도 아니었다. 낙원에서 아담이 대면한 적이란 뱀 한 마리뿐이었다. 예술 작품에 등장하는 '뱀'은 흔히 눈에 잘 띄지 않는, 별 볼일 없는 존재로 묘사되어 있다. 하지만 창세기 본문(3,1)이 암시하는 바는 그렇지 않다. 히브리어로는 나하쉬נחש라 하는데 이는 여러 가지 의미가 있으며, 뱀을 가리키는 말로 가장 많이 사용(민수 21,6-9)되지만 사악한 용(이사 27,1; 묵시 12,3 참조)을 가리키기도 한다. 다의적인 이 용어는 일반적으로 독이 있으며(시편 58,5) 물기도 하는 존재(잠언 23,32)를 가리킨다.

분명한 것은 아담이 감당하기 어려운 가공할 만한 존재, 생명을 위협하는 무서운 존재를 대면했다는 사실이다. 더욱이 그 뱀은 몸을 가진 피조물이라면 당연히 느끼는 죽음에 대한 두려움을 약점으로 잡아 붙들고 늘어졌다. 뱀은 아담에게 여러 가지 기대를 갖게 하면서 유혹한다. 하지만 동시에 넌지시 위협하기도 한다. 「교리서」는 이 뱀을 사탄과 동일시한다. 사탄은 아담을 유혹하는(391항) 동시에 물리적이고 영적으로 해치려는 의도를 갖고 있다.(394-395항)

아담은 이 짐승과 죽음을 두려워했다. 그는 아내가 입게 될 해보다도 자기 목숨을 잃을까 더 두려워했다. 그것은 그가 아내를 구하기 위해 나서지 않은 것을 보면 알 수 있다. 죄를 지음으로써 하느님을 배반할까 두려워하기보다도 죽음을 더 두려워했다. 순교자다운 용기를 가지고 적극 나서지 못했다. 소리쳐 하느님께 도움을 청할 용기도 없었다. 자존심 때문에, 두려움 때문에 그는 침묵을 지켰다. 그리하여 그는 아내와 함께 하느님의 분부를 어기고 말았다. 금단의 열매를 따먹은 것이다. 그 이후는 하느님의 구세사다.

그 사건으로 아담과 하와는 죽었는가? 필로가 말한 영혼의 죽음을 염두에 둔 질문이라면, 그렇다. 그들은 죽었다. 죽을죄 곧 대죄를 범하고 은총을 잃는다는 의미의 죽음을 염두에 둔 질문이라면, 그렇다. 그들은 죽었다. 수류탄에 몸이 산산조각 나 죽은 것보다도 더 확실하고 철저하게 그들은 죽었다.

그들은 정말 '죽었다'. 하느님은 왜 아담과 하와에게 그런 시련을 허락하셨을까? 그 이면에는 더 중요한 것이 있기 때문이다. 아담과 하와한테는 은총의 삶이 주어졌지만 그것이 전부는 아니었다. 하느님께서는 그 은총이 영광의 씨앗이 되기를 바라신 것이다. 아담은 낙원에서 태어났지만 천국에 이르도록 창조된 것이다.

하느님께서는 아담이 성삼위의 내적 삶, 곧 철저하게 자신을 내주는 삶을 공유하기를 바라셨다. 성부께서는 성자를 향한 사랑으로 자신을 철저하게 내주신다. 이에 성자는 자신의 생명을 온전히 내드림으로써 성부의 사랑에 보답한다. 그리고 성부와 성자가 공유하는 그 사랑은 바로 성령이시다. 아담이 이러한 성삼위의 삶을 공유하기 위해서는 이 땅 곧 낙원에서부터 그러한 삶을 실천해야 했다. 자신을 희생하고 온전히 봉헌해야 했다. 그러나 그는 실패했다.

아담은 하느님께 대한 사랑을 위해, 또는 아내의 생명을 지키기 위해 자신의 목숨을 버리려는 의지가 없었다. 희생하기를 거부한 그 행위가 아담의 원죄였다.

## 단층선

원죄는 인간의 첫 범죄, 곧 아담의 타락을 지칭하기 위해 사용된다. 이 용어는 그 타락의 결과 또는 의미를 묘사하는 데도 사용된다. 아담에게 원죄는 '개인적 행위'요, '실제로 범한 죄'다. 그러나 우리한테는 그것이 개인적인 행위도 실제로 범한 죄도 아니다. 이는 아담의 죄와 우리 죄를 분리하는 것이 아니라 구분하는 것이다. 이 둘은 동전의 양면이기 때문이다. 죄에는 온갖 형태의 죄를 하나로 묶어주는 끈이 있다.

교리 교사들이 원죄에 대해 가르칠 때 흔히 '영혼에 묻은 때'라는 은유를 사용하곤 한다. 그러나 그것은 어디까지나 은유일 뿐이다. 죄란 본질적으로 '때'가 아니며 영적 실재가 아니다. 그것은 그 무엇도 아니다. 오히려 그 무엇의 결핍이요 부재이니, 그 무엇이란 곧 성화 은총을 말한다. 아담의 죄로 인간 본성에서 성삼위의 내적 삶이 제거되었다. 그것이 곧 원죄의 본질이다. 원죄를 이해하기 위해서는 그것이 무엇이 아닌지를 설명하는 접근 방법을 사용해야 한다. 원죄란 인간이 자신에게 주어진 궁극 목표에 도달하기 위해 필요한 것의 부재다. 성화 은총의 부재는 우리를 암흑과 무지와 죽음으로 몰아넣는다.

그러나 원죄가 생물학적으로나 정신적으로 전이되는 그 무엇이 아님을 깨닫는 것이 중요하다. 한편으로 원죄를 대물림되는 그 무엇으로 규정할 수 있다. 교황 비오 6세는 다음과 같이 말한다. "원죄는 아담의 후손에게 대물림되지만 그들이 실제로 범한 과오는 아니다."

여기서 사용된 과오라는 표현만 보면 원죄라는 것이 우리를 죄인으로 만드는 그 무엇이라는 오해를 불러일으킬 수 있다. 하지만 그렇지 않다. 여기서 사용된 과오fault는 캘리포니아 주를 엄청난 지진 피해에 취약한 상태로 몰아넣는 산안드레아스 단층 San Andreas Fault(북미 서해안의 대규모 단층)이라는 의미 정도로 생각하는 것이 좋겠다. 원죄의 과오가 사람의 영혼 안에서 하는 작용이란 곧 그 단층이 서해안 지역에서 일으키는 작용과 같다고 할 수 있겠다. 그것은 내가 저지른 과오는 아니지만 마치 내 영혼을 가로지르는 단층선斷層線과 같아서 하느님과 분리되도록 나를 몰아가는 경향이 있다.

원죄는 아담의 후손에게 대물림되지만 그들이 범한 과오는 아니다. 한 사람의 범죄로 모든 사람이 유죄 판결을 받았고 한 사람의 불순종으로 많은 이가 죄인이 되었다.(로마 5,18-19)

그렇다면 아담의 불순종으로 말미암아 우리가 죄인이 되었다는 증언은 어디에서 근거하는가? 우리가 죄인이 된 것은, 생물학적으로는 그의 후손이며 신학적으로는 그가 우리를 대표한다는 두 가지 사실에 근거하여 아담과 우리가 연대 책임을 공유하고 있기 때문이다. 아담은 우리 선조로, 하느님과 맺는 계약에서 우리를 대변하는 존재다. 그런데 그가 계약을 어겼기 때문에 후손인 우리가 그 결과를 대물림한다. 세상사에서 흔히 일어날 수 있는 일과 관련해 생각해 보자. 만약 내가 사업에 실패해 재산을 자녀들에게 물려주기도 전에 파산선고를 받아 채권자들이 아이들을 추적하여 고소한다면, 나는 대를 이어 가족을 빚쟁이로 만드는 것이다.

요컨대 원죄는 성화 은총 곧 영원한 생명의 상실을 의미한다. 영원한 생명이란 단지 영원히 지속되는 생명이 아니다. 영혼은 죽지 않기 때문에 지옥에 간 사람들도 비참하기는 하겠지만 영원히 살게 된다. 영원한 생명은 영원히 지속되는 삶 그 이상이다. 그것은 하느님의 생명, 곧 신묘한 생명이다. 하느님 홀로 영원하시니, 그분은 시간을 초월하여 존재하시기 때문이다. 그러므로 우리가 영원한 생명에 관해 이야기할 때 그것은 곧 성부와 성자와 성령이신 성삼위의 삶에 참여하는 길에 관해 이야기하는 것이다. 인간이 원죄를 통해 상실하게 된 것이 바로 그러한 삶이다.

원죄는 대물림되지만 개인적 행위가 아니다. 우리는 책임을 공유하지만 그 죄를 실제로 범하지는 않았다. 그 책임은 우리가 동의하지 않았는데도 우리에게 부과된다. 그러므로 유아세례를 받는 아이들에게 하시듯이 하느님께서는 우리의 개인적 동의 없이 원죄를 씻어 없애실 수 있다.

그러나 우리가 실제로 범한 죄는 사정이 다르다. 그것은 내용을 충분히 알고 분명한 동의를 통해 저질러질 수 있다. 그러므로 내용을 충분히 알고 하는 동의를 통해서만 씻어질 수 있다. 이것이 바로 우리에게 고백이 필요한 이유다.

## 도덕적 중력의 법칙

죄란 몸 속의 모든 장기에 고통을 주는, 말기지만 치유 가능한 질병과도 같다는 점을 명심하자. 그러나 죄의 경우에는 우리 영혼의 영원한 생명에 악영향을 미친다.

자신이 질병에 걸렸다는 것을 모르는 게 약일까? 가능한 치유 방법을 모르는 게 약일까? 치유의 길이 있다는 사실과 함께 앓고 있는 질병의 심각성을 의사가 알려주지 않는다고 해서 과연 환자가 더 행복해질까?

죄란 단순히 계율을 어기는 일 그 이상임을 기억하는 것이 무엇보다도 중요하다. 죄는 삶을 파괴한다. 자신의 삶뿐 아니라 다른 이들의 삶까지도 말이다. 또한 인간의 영적 생명은 물리적 생명보다 훨씬 소중하다. 훨씬 미묘하며 망가지기 쉽다. 궁극적으로는 훨씬 더 인간을 행복하게 한다.

사람들이 하느님의 계율을 하나부터 열까지 다 이해하지 못한다 해도, 인간의 영적 · 육체적 건강을 염려하시는 하느님의 사랑에 충분히 응답하지 못한다 해도 하느님의 모든 계율과 그분의 사랑이 진리라는 사실은 변하지 않는다.

국민 대다수가 중력의 법칙을 폐기하자는 데 동의하여 그 법의 폐기안이 국회에 상정되고 표결을 통하여 대통령의 승인까지 받았다고 가정하자. 만약 대통령과 모든 국회의원이 중력의 법칙에서 마침내 '해방'된 것을 기념하기 위해 백악관 지붕에 올라가 뛰어내린다면 어떤 일이 벌어질까? 물론 중력의 법칙에 어긋나는 일이 벌어지지는 않을 것이다. 오히려 그들의 추락은 중력의 법칙을 재차 증명하게 될 것이며 그 덕분에 뛰어내린 사람들은 골절상을 입을 것이다.

하느님이 명하신 도덕적 계율은 물리학의 법칙만큼이나 견고하고 확고하다는 사실을 사람들은 흔히 잊고 산다. 다만 죄의 결과는 부러진 뼈만큼 눈에 잘 띄거나 즉각적인 고통을 동반하지 않는다는 차이가 있다.

그렇기 때문에 교회는 죄의 치명적 결과와 이를 온전하게 치유하는 그리스도의 복음을 세상에 알리지 않을 수 없다. 우리는 죄를 고백해야 한다.

# 6 죄는 왜 달콤한가?

필자는 대학 강단에서 이따금 학생들에게 성 아우구스티노의 「고백록」을 과제로 낸다. 이 책은 보편적인 매력을 가지고 있다 해도 과언이 아니다. 가장 세속적인 사람도 비종교인도 성 아우구스티노의 천재적인 글 솜씨에 빠져들 것이다. 적어도 아우구스티노가 젊은 시절의 방황을 회상하는 부분은 흥미롭다. 때로는 아우구스티노가 범한 성性과 관련된 진홍색 죄 때문에 이 책을 읽는 독자도 있다. 「고백록」에서 볼 수 있는 아우구스티노의 섬세한 자기 분석은 고해성사를 준비하는 사람들에게 크나큰 도움이 된다.

그런데 「고백록」에는 신심 깊은 독자들마저 고개를 갸우뚱하게 하는 부분이 있다. 사실 한 부분이라고 하기에는 분량이 좀 많다. 아우구스티노는 열여섯 살 때 밤늦게 친구들과 어울려 다녔던 일을 설명하는 데 무려 일곱 장을 할애하고 있다. 그렇게도 놀라운 정신세계를 소유한 사람을 그토록 집착하게 만든 탈선행위는 무엇이었을까?

아우구스티노와 친구들은 이웃 과수원에서 배를 몇 개 훔쳤다.

독자들은 여기서 어리둥절할 것이다. 아우구스티노는 오랫동안 육욕의 죄를 저지른 경험이 있다. 그에게는 여러 명의 정부情婦가 있었고 사생아를 임신시키기도 했다. 그가 범한 영적인 죄 또한 그보다 더하면 더했지 덜하지는 않았다. 그는 색다른 영성을 찾아 배교와 이단의 영역을 넘나들었다. 그리스도교의 가르침과 생활방식을 벗어나 이교의 현자에게 자신의 영혼을 맡기기도 했다. 그의 일탈 행위는 정도가 심각했다. 그런데도 그는 어떤 죄보다도 열여섯 살 때 저질렀던 좀도둑질에 대해 가장 심도있고 세밀하게 자기 분석을 하고 있다.

아우구스티노는 좀도둑질한 이유를 알아내기 위해 거듭 자문한다. 배가 고팠기 때문이 아니었다. 전혀 배고프지 않았다. 그 배가 최상품이었기 때문도 아니었다. 집에 있는 배보다도 품질이 떨어졌다. 그냥 입이 심심해서도 아니었다. 아우구스티노와 친구들은 훔친 과일을 먹지도 않았다. 오히려 돼지들에게 주었다.

그렇다면 왜 배를 훔친 것일까? 아우구스티노는 끊임없이 자신에게 반문하면서 가능한 동기를 하나하나 가차없이 부정해 나간다. 마침내 그는 악행 자체를 즐긴 것이 아닐까 반문한다. 하지만 그것도 이치에 닿지 않으니 제외시킨다. 누구도 악 자체를 위해 악행을 저지르지는 않는다는 것이다. 어떤 행위가 악하다는 이유만으로 그 행위를 선택하는 사람은 없다. 사람들이 죄를 짓는 것은 그것이 악하지 않고 선하다고 생각하기 때문이다.

## 좋은 게 좋은 거다?

이 부분에서 일부 그리스도인들은 분개와 놀람을 경험한다. 사람이 죄를 지을 때 악을 선택하는 것이 아니라니, 도대체 어떻게 그런 주장을 펼 수 있단 말인가? 아우구스티노는 인간은 오직 좋은 것만 선택할 수 있다고 되받아친다. 사람은 맛난 것, 편한 것, 자유롭게 해주는 것, 생활 속의 불편을 제거해 주는 것을 바란다. 더욱이 인간이 바라는 모든 것은 선하다. 하느님이 그렇게 창조하셨기 때문이다.

"하느님께서 보시니 손수 만드신 모든 것이 참 좋았다."(창세 1,31) 세상 만물은 어떤 식으로든 하느님의 영광에 참여한다. 각각의 예술 작품은 예술가의 독특한 흔적을 담고 있다. 그러므로 모든 피조물은 창조주의 현현顯現이다. 그리고 만물 안에 배어 있는 창조주의 영광 때문에 그것들이 인간에게 그리도 매력적으로 다가오는 것이다.

그렇다면 좋은 것을 향한 인간의 욕구를 죄로 변형시키는 것은 무엇인가? 여기에 대해 아우구스티노는 멋진 말을 했다. "사물에 대한 무절제한 호감 때문에 가장 훌륭하고 가장 좋은 것을 버릴 때 인간은 죄를 저지른다." 가장 좋은 것이란 하느님, 하느님의 진리, 하느님의 계율이다. 그는 이렇게 말한다. "가장 훌륭한 것들에 비해 격이 낮은 사물들에도 그 나름의 즐거움이 있다. 그러나 어떤 것도 만물을 창조하신 하느님만큼 큰 즐거움을 주지는 못한다. 의로운 사람은 그분 안에서 즐거움을 발견하며, 고결한 영혼은 그분 안에서 기쁨을 누린다."

아우구스티노는 과수원의 배를 훔친 이유에 대해 친구들과의 우정, 그들과 함께 나누게 될 웃음 때문이었다고 했다. 우정 · 동지애 · 웃음은 모두 좋은 것이고, 하느님의 축복이며, 갈망할 만한 것이었다. 그러나 그러한 것에 대한 욕구를 하느님의 마음을 기쁘게 해드리고 그분께 순종하고자 하는 욕구보다 우선적으로 추구함으로써 잘못을 저지르게 된 것이다.

우리가 죄를 짓는 이유도 악한 것을 원하기 때문이 아니라 덜 좋은 것을 원하기 때문이다. 우리는 모든 즐거움을 창조하신 분이며 즐거움의 정점이신 하느님과 그분의 진리를 추구하는 대신 하찮은 일과 덧없는 감각적 즐거움에 몸과 마음과 영혼을 내맡긴다. 하느님이 베풀어 주신 선물에 집착함으로써 정작 그것을 주신 하느님께 등을 돌린다.

## 탐욕

그렇다면 문제는 우리가 피조물에게 매력을 느낀다는 점이 아니라 피조물을 하느님보다 더 매력적으로 여긴다는 점이다. 아우구스티노의 표현을 빌리면 문제는 우리의 '사물과 즐거움과 현세의 영예에 대한 무절제한 호감'이다. 이것이 아담과 하와의 문제였다. 에덴동산의 금단의 열매는 아우구스티노의 이웃 과수원에 달린 과일처럼 악하지 않았다. 과연 선악을 알게 하는 지혜의 나무는 보기만 해도 좋았다. 하와가 그 나무를 쳐다보니 "먹음직하고 소담스러워 보였다. 그뿐만 아니라 그것은 슬기롭게 해줄 것처럼 탐스러웠다".(창세 3,6) 지혜의 나무가 그런 좋은 것들을 가지고 있는 것은 하느님께서 그렇게 만드셨기 때문이다. 그 과실은 보기에도 먹음직스럽고, 먹은 사람에게 지혜를 가져다 주니 유익하기도 했다. 하지만 하느님께서는 인류의 첫 부부에게 더 좋은 것, 곧 초자연적 선을 위해 그 좋은 것들을 모두 희생하라고 이르셨다.

그런데 뱀에 대한 두려움 때문에, 자존심 때문에, 상실의 고통에 대한 두려움(히브 2,14-15 참조) 때문에 그 부부는 하느님의 명을 실행에 옮기는 데 실패했다. 선악과는 악한 것이 아니었다. 하지만 불순종은 분명 악한 것이었다. 지혜를 갈망하는 것이 나쁜 일이 아니듯 잘 익은 사과를 먹고 싶어하는 것 또한 나쁜 일이 아니다. 그러나 하느님한테서 멀어지는 방향으로 이러한 것들을 추구하는 것은 나쁜 일이다.

아담과 하와는 우선적인 것과 그렇지 않은 것의 순서를 뒤바꾸어 버림으로써 눈앞에 당면한 욕구, 곧 안전과 자기 보존과 지식과 감각적 즐거움을 채우는 반면에 더 고상하고 숭고한 것들, 곧 믿음 · 희망 · 사랑과 같은 가치는 유예했다. 그들이 직접 악을 선택한 것은 아니었다. 단지 덜 고상한 것들을 선택했을 뿐이다. 그들은 당장에 실질적인 것들을 선택했다. 자기 보존 욕구와 배고픔은 뿌리 깊은 본능으로 강렬한 육체적 반응을 보인다. 믿음 · 희망 · 사랑을 갈구하는 육체적 욕구는 존재하지 않는다. 하느님을 우선적으로 선택하는 내분비선이나 장기나 호르몬은 없다. 아담과 하와에게 요구되었던 것은 하느님의 뜻에 자신의 뜻을 의지적으로 일치시키는 것으로 덜 고상하게 보이는 모든 욕구를 희생시키는 일이었다.

선택에는 결과가 따르는 법이다. 그들의 요구는 또 다른 새로운 요구를 만들어 냈으니 알몸을 가려야 했고, 숨어야 했고, 자신들의 행위를 정당화시켜야 했다. 아담과 하와는 덜 고상한 욕구를 우선순위에 두었고, 이제 그 욕구가 두 사람을 지배하기 시작한 것이다. 전에는 알몸이면서도 두렵지 않았으나 이제는 알몸 때문에 두 사람에게 혼란스런 감정이 일어났다. 그래서 무화과나무 잎을 엮어 앞을 가려야 했다. 전에는 힘들이지 않고 밭을 갈고 동산을 관리할 수 있었으나, 이제는 땀 흘려 힘겹게 일을 해야만 했다.

인류의 첫 조상인 아담과 하와는 하느님께서 의도하신 인간 내면의 질서를 뒤바꾸어 놓았다. 이제는 더 이상 인간의 영혼이 몸을 지배하는 것이 아니라 몸이, 다시 말해 즐거움과 두려움, 갈망과 욕구가 영혼을 지배하게 되었다.

사도 바오로는 이를 영에 대한 육의 반란이라고 했다.(갈라 5,16-17; 에페 2,3; 「교리서」 2515항 참조) 신학자들은 이를 탐욕이라 이름하였으니, 이는 '원죄의 잠정적인 결과로 말미암아 혼란스러워진 인간의 욕구 또는 욕망'을 일컫는다. 탐욕은 정의상 무분별하고 변덕스러우며 비합리적이다. 인간의 무질서한 욕망은 이성의 질서를 거슬러 반항한다.

탐욕 자체는 죄가 아니다. 그러나 그것은 원죄의 결과이며 본죄의 원인이다. 그것은 죄를 향한 내재적이며 생득적인 성향이다. 그러나 탐욕은 개인적 행위가 아니며 그것 자체가 우리를 죄인으로 만들지는 않는다. 그러나 우리를 유혹에 취약하게 만드는 것은 분명하며 쉽게 죄를 짓게 한다.

### 탐욕의 결과

"한 사람의 불순종으로 많은 이가 죄인이 되었듯이, 한 사람의 순종으로 많은 이가 의로운 사람이 될 것입니다."(로마 5,19) 아담은 자신과 후손들의 영원한 생명을 없애버렸지만 그리스도께서는 영원한 생명을 회복하여 우리에게 주시기 위해 이 세상에 오셨다. 그리스도인들은 대부분 유아세례를 통해 영원한 생명을 받는다.

세례성사는 원죄의 흔적을 씻어내지만 탐욕은 우리 안에 여전히 남아 있다. 욕구와 욕망은 좋은 것이지만 질서를 잃으면 문제가 된다.

탐욕은 끝이 없어 우리를 끊임없이 끌어내린다. 우리가 피조물에게 끌리는 것은 하느님께서 당신 영광을 드러내기 위해 창조하셨기 때문이다. 이것은 우리가 더더욱 감사하고 찬미하며 사랑하도록 하시기 위함이다. 그런데 우리는 자신의 욕구를 충족시키기 위해 피조물을 이용한다. 그것이 아내든 친구든, 초콜릿이든 술이든, 책이든 자동차든 말이다. 그러나 욕구를 충족시킬수록 점점 더 그 욕구에 지배당하게 되며, 갈수록 그것을 필요로 하게 된다. 이런 피조물을 필요로 할수록 하느님은 필요 없다고 느끼기 마련이다. 하느님께서 모든 것을 베풀어 주셨는데도 말이다.

탐욕은 우리를 유혹에 약하게, 유혹당하기 쉽게 만든다. 세상은 탐욕을 통해 우리를 유혹한다. 그러나 옳지 못한 생각을 한다고 죄를 짓는 것은 아니다. 그 옳지 못한 생각이 즐겁다고 생각될 때 비로소 마음으로 죄를 짓게 된다. 마음으로 짓는 죄도 죄다. 서둘러 뉘우치지 않으면 머지않아 죄를 짓게 된다.

탐욕을 극복하기 위해서는 먼저 그것이 무엇인지 알아야 한다. 교회의 가르침은 세 가지를 꼽는다.

**지성이 흐려진다** 이성이 본능과 감정, 직감의 지시를 받는다. 우리는 오직 하느님의 은총, 계시된 진리, 우리의 노력으로 육의 선동을 넘어서서 생각할 수 있다.

**의지가 약해진다** 의지는 오직 선한 것, 좋은 것만을 바란다. 의지는 지성이 제공하는 정보를 토대로 작용하는데 지금은 지성이 흐려져 있다. 그래서 의지는 그릇된 방향으로 작용한다. 우리의 궁극 목표인 하느님을 향하지 않고, 눈앞의 피조물로 향한다. 의지가 여전히 좋은 것들을 선택하기는 하지만 덜 좋은 것, 눈에 보이는 좋은 것들을 선택한다. 악이라는 것을 알면서 선택하는 사람은 없다. 심지어 자살이나 살인을 저지르는 사람도 마찬가지다. 히틀러도 인종 청소(유태인, 집시, 천주교 성직자들을 제거하는 일)를 자행하면서도 좋은 일을 한다고 생각했다. 탐욕이 지배하게 되면 인간 본성은 그 정도로 비뚤어질 수 있다.

**욕망이 혼란스러워진다** 음식과 수면, 성적 친밀감에 대한 욕구는 그 자체로 좋은 것이다. 창조된 목적대로 하느님을 향한다면 말이다. 그러나 탐욕으로 인해 그것들이 혼란스러워졌고, 결국 몸은 식탐과 나태와 음욕과 그 밖의 죄를 짓도록 우리를 끌어내린다.

이제 탐욕의 해가 어떤 것인지 이해했을 것이다. 지성은 흐려졌고, 의지는 올바른 정보를 받지 못하니 그릇된 방향으로 작용한다. 영이 더 이상 육을 지배하지 못하기 때문이다.

## 벌

이쯤 되면 사도 바오로의 절규를 분명히 이해할 수 있으리라. "나는 과연 비참한 인간입니다. 누가 이 죽음에 빠진 몸에서 나를 구해 줄 수 있습니까?"(로마 7,24) 우리도 사도 바오로처럼 우리를 구해 주실 분은 오직 예수 그리스도이심을 확신해야 한다. 그리고 일상 안에서 회개하라는 그리스도의 부르심을 알아차려야 한다. 그런 분별의 순간이 구원의 순간이기 때문이다.

죄는 무분별한 욕구에서 시작된다. 먼저 자신이 가져서는 안 될 무언가를 동경하고 갈망하는 데서 유혹을 느낀다. 이때 가장 먼저 취해야 할 조치(1단계 의무)는 유혹에 저항하는 것이다. 욕구를 거절하고, 자신을 동요시키는 상황에서 떠나는 것이다.

그렇게 하지 못하고 죄를 지었을 때는 더 어려운 의무(2단계 의무)가 우리를 기다리고 있으니, 그만큼 위험에 자신을 노출시켰기 때문이다. 이제는 자신이 저지른 특정한 죄를 뉘우치고 고백하고 속죄해야 한다.

그런데 만약 뉘우치고 통회하지 않는다면 어떻게 되는가? 오히려 그 금단의 즐거움을 맛보기 위해 또다시 죄를 짓는다면 어떻게 되는가? 일단 2단계 의무를 이행하는 데 실패하면 하느님의 벌을 받게 된다. 그러나 하느님의 벌은 우리가 생각하는 것과는 다르다. 하느님은 마른 하늘에서 날벼락을 내려 죄인을 벌하시지는 않는다.

가장 혹독한 벌은 그 죄에 매력을 느끼게 되는 것이다. 금단의 즐거움이나 쾌락을 선택할 때 그 죄에 대한 벌은 바로 죄인이 경험하는 쾌락이다. 한번 즐거움을 경험하게 되면 죄인은 더욱더 갈망하기 때문이다. 만약 하느님이 쾌락 속에 버려두신다면 우리는 더 이상 저항하지 못하게 된다. 머지않아 우리는 그 덫에 걸려

들어 얽매이거나 중독된다.

죄에 걸려들면 우리의 가치 체계는 완전히 뒤집힌다. 악을 가장 바람직한 '선'이요, 가장 간절한 바람으로 여긴다. 선을 악으로 오인하게 되는데, 이는 자신의 부정한 욕망을 충족시키지 못하도록 선이 방해하고 위협한다고 느끼기 때문이다. 이 단계가 되면 회개는 불가능하게 된다. 회개란 정의상 악에서 '돌아섬'이요, 선을 '향함'이기 때문이다. 그런데 이쯤 되면 죄인은 이미 철저하게 선과 악의 개념을 재정의再定意하고 난 뒤다. 이사야 예언자가 이런 죄인들을 향해 증언한다. "불행하여라, 좋은 것을 나쁘다 하고 나쁜 것을 좋다 하는 자들!"(이사 5,20)

고삐 풀린 탐욕은 회개하지 않은 죄에 대한 하느님의 벌이며, 그 범죄에 딱 어울리는 벌이다. 어떤 사람이 좋지 않은 것을 계속 고집하면 하느님께서는 그의 자제력을 제거하신다. 로마 신자들에게 보낸 서간에서 사도 바오로는 다음과 같이 설명한다. "하느님께서는 그들이 마음의 욕망으로 더럽혀지도록 내버려 두시어, 그들이 스스로 자기들의 몸을 수치스럽게 만들도록 하셨습니다. 그들은 하느님의 진리를 거짓으로 바꾸어 버리고, 창조주 대신에 피조물을 받들어 섬겼습니다.…이런 까닭에 하느님께서는 그들을 수치스러운 정욕에 넘기셨습니다.… 그들이 분별없는 정신에 빠져 부당한 짓들을 하게 내버려 두셨습니다."(로마 1,24-26.28) 벌을 주시면서도 하느님은 인간의 자유를 존중하신다. 하느님은 그들을 욕정과 정념과 그들 스스로 선택한 악행에 '넘겨주신다'. 그런데 그들에게 생명을 주신 하느님께서 그들을 '넘겨주시면' 그들은 죽은 것이나 다름없지 않은가?

다시 한 번 말하거니와 죄를 지으면서 느끼는 즐거움은 죄인에 대한 첫 번째 벌이다. 사람들은 대부분 뜻밖이라고 생각할 것이다. 우리는 하느님의 벌을 죄인에게 가하시는 하느님의 복수로 오해한다. 하지만 잠정적으로 하느님이 내리시는 가장 무서운 벌은 죄인이 스스로 선택한 죄에 애착을 갖는 것이다.

예를 들어 알코올 중독자들이 처음부터 알코올 중독자는 아니었다. 한번 취하게 마시고, 다음에 또 한번 취하고, 그 후로도 술을 마실 때마다 취하도록 마신다. 그러므로 술을 좋아하는 사람이 술 욕심을 자제하지 않으면 결국 알코올 중독자가 된다. 무절제한 음주라는 죄에 대한 벌은 '술에 취함'이다. 이쯤 되면 유혹을 뿌리쳐야 하는 1단계 의무를 실행하는 데 실패했음을 깨달아야 한다. 그런 다음 통회하고 죄를 고백하고 속죄해야 한다. 만약 회개하지 않고 다시 한 번 취하도록 마신다면 그때는 부정한 선善이 자신을 깊은 나락으로 끌어내리며, 하느님한테서 더욱 멀리 떨어져 나가는 걸 깨닫게 될 것이다.

인간의 지성이 흐려지고 의지가 나약해지면 결과는 뻔하다. 회개할 힘조차 고갈될 정도로 자신을 몰아간다. 하느님의 노여움과는 상관없는 일이지만 운전 중 사고를 내거나 가족들에게 외면당하고 버림받거나 집에서 쫓겨나거나 직장에서 해고당하는 불상사를 겪게 된다. 이런 불상사를 겪으면 하느님께서 마침내 벌하시기 시작했다고 생각한다. 그러나 그것은 하느님이 내리시는 벌이 아니라 그분의 자비다. 더 이상 되돌릴 수 없는 운명에서 죄인을 구하시려는 하느님의 자비다.

우리가 하느님의 노여움이나 벌이라고 생각하는 것은 사실 탐욕과 죄로 어두워진 영혼을 밝혀주려고 하느님께서 보내시는 눈부신 빛이다.

## 하느님의 노여움

하느님께서 내리시는 벌의 성격을 올바로 이해하는 것이 중요하다. 구약성경은 하느님의 '진노' 또는 '노여움'이라는 말을 168번이나 사용하고 있다. 그런데도 하느님은 화를 내시지 않는다. 그분은 결코 '앙심'을 품거나 '징벌'하시지 않는다. 영원하시며 변함이 없는 분이기 때문이다. 하느님은 인간이 감정을 통해 경험하는 마음의 동요나 변화를 겪는 분이 아니다.

성경이 말하는 하느님의 '노여움'이라는 말은 비유적 표현이다. 예를 들어 시편 저자가 사용하는 하느님의 '오른손이, 그분의 거룩한 팔이'(시편 98,1)라는 표현에 대해 생각해 보자. 이 말은 하느님이 팔다리가 있다는 뜻이 아니다. 마찬가지로 하느님은 감정과 기분을 느끼시는 분이 아니라는 것이다. 성 토마스 데 아퀴노는 이렇게 말한다. "성경이 하느님의 팔이라는 말을 쓸 때 하느님께 그러한 신체기관이 있다는 의미가 아니다. 다만 그 팔이라는 기관이 상징하는 바, 곧 하느님의 능력을 의미한다."

이 비유에 담겨 있는 뜻은 무엇인가? 노여움은 '관계적 언어'다. 사람이 분노할 때는 반드시 그 대상이 있다. 분노라는 말마디가 성삼위의 관계 안에 존재하는 어떤 실재를 지칭할 리도 없고 분노의 대상이 성자나 성령일 리도 만무하다. 변함이 없으신 하느님께는 분노라는 감정이 없다. 그렇다면 그것은 필시 하느님과 인간 사이의 잠정적 관계를 가리키는 것이리라.

성 토마스 데 아퀴노의 설명을 들어보자. "분노한 사람은 곧잘 상대를 응징한다. 이때 응징은 분노의 표현이다. 하느님께 분노가 있다면 그 분노는 응징을 의미한다. 그러나 하느님께는 분노가 있다고 말할 수 없다. 그 안에는 우선적으로 격정이 있기 때문이다."

하느님의 진노 · 노여움 · 벌과 같은 용어는 정의를 세우고 질서를 회복하시는 하느님의 역사役事를 우리 삶과 역사歷史 안에서 이해하는 데 도움이 된다. 이는 '냉혹한 판사'의 격분한 감정이 아니다. 오히려 하느님의 자비와 인자하심의 도구다. 하느님이 내리시는 벌은 자식을 사랑하는 아버지의 질책, 또는 우리를 바른길로 인도하는 목자의 지팡이와 같다. 그것은 우리를 바로잡아 주고 회복시키고 구속하고 치유한다. 사도 바오로는 이렇게 증언한다. "그분의 호의가 그대를 회개로 이끌려 한다는 것을 모릅니까?"(로마 2,4)

## 하느님의 심판은 진리대로 내린다

하느님의 노여움은 '죄의 결과로서 사람들에게 닥칠 수 있는 엄청난 재난과 불행'이라고 정의한 바 있다. 사도 바오로는 이렇게 말했다. "우리는 그러한 짓을 저지르는 자들에게 내리는 하느님의 심판이 진리에 따른 것임을 알고 있습니다."(로마 2,2)

하느님께서는 우리가 예기치 못한 방법으로 벌하신다. 그분이 내리시는 벌은 앙심에서 비롯된 것이거나 자의적 성격의 것이 아니다. 그것은 우리의 자유로운 선택에서 비롯된 피할 수 없는 결과다. 과연 그분이 내리시는 벌은, 지옥이라는 영원히 지속되는 벌마저도 인간의 자유를 보장하며 당신의 사랑을 보증한다. 사랑은 강제로 얻을 수 있는 것이 아니기 때문이다. 그러므로 우리한테는 하느님의 사랑을 선택하거나 거부할 자유가 있어야 한다. 우리에게 죄와 지옥을 선택할 권리가 없었다면 진심으로 하느님을 선택하고 사랑할 자유도 없었을 것이다. 하느님께서 우리에게 '아니요'라고 답할 수 없도록 강요하셨다면 우리의 '네'는 이미 자동응답기의 답처럼 무의미하리라.

죄를 짓고 하느님이 아닌 다른 것을 선택하면, 거기에 따른 결과도 직시해야 한다.

불행하게도 우리는 탐욕으로 나약해진 지성과 의지로 결정해야 하므로 항상 갈등이 따른다. 탐욕은 오직 한 방향으로, 곧 하느님한테서 멀어지는 쪽으로 끌고 간다. 그 힘은 우리를 압도할

만큼 엄청나다.

자제와 극기로 탐욕을 극복해 나가야겠지만 그것만으로는 부족하다. 우리에겐 오직 하느님만이 주실 수 있는 도움이 필요하다. 곧 고해성사를 통해 베풀어 주시는 은총이다. 고해성사의 은총은 하느님의 창조 능력과 협력하여 죄로 비뚤어지고 흐트러진 영혼을 새롭게 한다.

# 7 계약으로서 고백

“누가 이 죽음에 빠진 몸에서 나를 구해 줄 수 있습니까?”(로마 7,24) 사도 바오로는 태초 이래 수천 년간 메아리쳐 온 인류의 소리 없는 절규를 이렇게 표현했다. 하느님께 믿음을 둔 이들은 그분이 자신들을 ‘죄와 죽음의 법’(8,2) 곧 탐욕에서 어떻게든 ‘해방’시켜 주시리라는 확신을 가지고 있었다.

고해성사를 통해 베풀어지는 용서는 인류의 오랜 염원인 해방을 경험하는 참으로 감동적인 통로다. “누가 이 죽음에 빠진 몸에서 나를 구해 줄 수 있습니까?” 하느님께서 인간을 해방하기 위해 예수를 보내셨음을 확신하는 사도 바오로는 단호하게 말한다. 그리스도 예수님 안에서 생명을 주시는 성령의 법이 그대를 죄와 죽음의 법에서 해방시켜 주었다고 말이다. “우리 주 예수 그리스도를 통하여 나를 구해 주신 하느님께 감사드립니다.”(7,25)

해방은 어떤 형태로 이루어졌는가? 성경과 교회 전승은 해방 사건과 그 사실에 대해 다양한 용어를 사용한다. 속량 · 구속 · 구원 · 의화 · 성화 등이 대표적인 용어다. 그리스도인은 대부분 이 용어를 적절하게 바꾸어 사용할 수 있는 동의어로 이해한다. 각종 기도문이나 전례 중에 반복 사용되는 이 용어가 익숙하긴 하지만 일상생활에서 별 관련성이 없기 때문에 생경한 용어이기도 하다. 평범한 그리스도인들한테는 전례나 공적 기도를 바칠 때 이외에는 별 의미를 느끼지 못하는 용어인 셈이다. 그래서 라틴어에서 유래한 이 말들이 반복해 들려올 때마다 관심을 갖지 않는 경향이 있다.

그 용어의 의미를 곰곰이 생각해 본 이들은 더욱 그럴 것이다. 이 용어들의 배경은 서로 대치되거나 모순되는 듯 보이는 뒤범벅된 현실(군사 · 종교 · 상업 · 법)을 나타내기 때문이다. 물론 해방이라는 실재가 마치 여러 가지 은유적 언어로 뒤범벅된 비현실적 사건처럼 보일 수도 있다.

그러나 해방을 경험한 성경시대 사람들한테는 그렇지 않았다. 사도 바오로도 마찬가지였다. 그에게는 여러 가지 은유가 하나의 통합된 경험을 의미했다. 그것은 그에게, 다른 사도들에게, 예수에게, 그들의 조상인 이스라엘 사람들에게, 이스라엘의 이웃이었던 고대인들에게 하나의 경험이었다.

하느님은 언제나 이미 잘 알려진 것, 익숙한 것들을 이용하여 아직 알려지지 않은 것을 설명하신다. 앞에서 언급한 용어, 곧 속량 · 구속 · 구원 · 의화 · 성화도 고대 이스라엘과 교회에 광범위하게 정착되어 그들에게 익숙했던 단 하나의 개념인 계약 안에 연계된다.

## 계약

계약이라는 개념을 이해하기 위해서는 먼저 한 개인의 삶이 대규모 확대가족에 의해 규정되던 고대 이스라엘 문화를 이해해야 한다. 가족, 다시 말해 부족이나 씨족은 각 구성원의 정체성을 규정했던 바, 어느 곳에서 살고 어떤 일을 하고 누구와 결혼할 것인지 지시하고 정해 주었다. 사람들은 흔히 자신이 속한 부족이나 씨족의 정체를 나타내는 징표를 몸에 지니고 다녔다. 도장이 새겨진 반지를 끼거나 몸에 문신을 새기기도 했다.

고대 근동 지역의 국가는 대부분 이런 부족으로 이루어진 조직이었다. 이스라엘도 야곱의 열두 아들의 이름을 붙인 열두 지파의 부족으로 구성되어 있었다. 각 씨족을 결속하는 데는 계약이 바탕이 되었고, 거기에는 각 구성원의 권리와 의무와 충절이 포함되었다. 한 씨족이 결혼이나 입양 또는 다른 형태의 결연을 통해 새로운 구성원을 받아들일 때는 새로운 구성원과 기존의 부족이 엄숙하게 거룩한 서약을 하고 함께 식사를 한 다음 희생 제물을 바침으로써 계약을 맺었다. 유명한 성경학자인 예수회의 데니스 매카시는 이렇게 말한다. "계약, 나아가 조약도 일종의 준準

가족 연합체를 확립하는 것으로 여겨졌음이 분명하다. 이러한 문서에서 사용되는 기술적 용어를 보면 우월한 편은 '아버지'로, 상대적으로 열등한 편은 '아들'이라 칭했으며, 동등한 관계에서는 '형제'라 칭했음을 발견할 수 있다."

**확대가족은 경제 단위였다** 경제라는 말은 그리스어 오이코노미아οἰκονομία에서 온 것으로 '한집안의 법 또는 관례'를 의미한다. 상품 매매나 거래도 집안일이었다. 직업도 개인이 선택하기보다는 가족의 필요에 따라 결정되었다.

**확대가족은 군사 단위였다** 가족은 제 구성원을 먹여 살렸으며, 제 가족과 땅과 사업을 스스로 지켰다. 가족 구성원 중 누군가 위험에 빠지면 혈족 가운데 구조자를 파병하여 피해자를 구하거나 해당 범죄에 대해 복수하였다.(창세 14,14-16)

**확대가족은 종교 단위였다** 가족은 같은 신앙을 고백하며 모두가 참여한 가운데 희생 제물을 드렸다. 아버지들이 사제의 역할을 맡아 제 가족을 위해 희생 제물을 봉헌했으며, 맏아들에게 그 직분을 물려주었다. 한 가족의 신은 자기 조상들, 곧 족장들의 신이었다. "아브라함의 하느님과 이사악의 하느님과 야곱의 하느님, 곧 우리 조상들의 하느님."(사도 3,13)

**확대가족은 가족 법정에서 내리는 판결에 따랐다** 가족은 구성원 간의 다툼이나 논쟁에 개입하여 판결을 내리고, 구성원들 사이에서 발생한 인명이나 재산에 관한 범죄를 고소했다. 부족의 장로들이 판관 역할을 맡았다.(탈출 18,21-26; 신명 1,12-17;

21,18-20)

## 네 가지 배경의 언어

하느님과 이스라엘 백성의 관계는 계약으로 규정되었다. 그렇기 때문에 성경은 하느님과 이스라엘의 상호 작용을 묘사하는 데 가족 언어를 빈번하게 사용했다. 그러나 '가족' 언어라고 할 때 거기에는 앞에서 언급한 여러 가지 배경, 곧 경제 · 군사 · 종교 · 법률이 반드시 포함되었다. 이제 하느님의 구원을 표현하기 위해 사용된 어휘를 살펴보자.

**경제** 물건의 매매와 교환에 사용되는 언어로 구원 사건을 묘사하는 데 응용하였다.

"하느님께서 값을 치르고 여러분을 속량해 주셨습니다. 사람의 종이 되지 마십시오."(1코린 7,23) 이 용어는 노예매매 또는 인질의 몸값을 표현하는 데 사용되기도 한다. 신약성경은 이 용어를 다음과 같이 사용한다. "하느님께서 당신의 아드님을 보내시어 여인에게서 태어나 율법 아래 놓이게 하셨습니다. 율법 아래 있는 이들을 속량하시어 우리가 하느님의 자녀 되는 자격을 얻게 하시려는 것이었습니다."(갈라 4,4-5) 사도 바오로도 속량을 죄의 용서와 탐욕의 치유와 연결시킨다. "그리스도께서는 우리를 위하여 당신 자신을 내어 주시어, 우리를 모든 불의에서 해방하시고 또 깨끗하게 하시어, 선행에 열성을 기울이는 당신 소

유의 백성이 되게 하셨습니다."(티토 2,14)

**군사** 성경은 때로 전쟁터의 전문 용어를 사용하여 구원 사건을 묘사한다.

혈족의 구조자가 적이나 납치범한테서 제 식구들을 구출하듯이 예수께서 우리를 죄에서 구하신다고 표현한다. "주님께서는 앞으로도 나를 모든 악행에서 구출하시고, 하늘에 있는 당신 나라에 들어갈 수 있게 구원해 주실 것입니다."(2티모 4,18) 예수께서 우리에게 기도하는 법을 가르쳐 주신 '주님의 기도'에서도 이를 엿볼 수 있다. "저희를 악에서 구하소서."(마태 6,13) 이 주제는 나중에 에페소 신자들에게 보낸 서간에서 사도 바오로가 영적 전투에 관해 연설하는 부분에도 등장한다. "여러분은… 하느님의 무기로 완전히 무장하십시오."(6,10-17; 이사 59,15-21)

**종교(전례)** 이 용어는 말 그대로 거룩하게 만드는 행위를 의미한다.

구약성경에서는 예루살렘 성전과 사제가 바치는 희생 제사와 연계된 정결례를 묘사하는 데 사용되었다. 성전에서 거행되는 희생 제사에 참여하기 위해 사람들은 자신을 정결하게 준비하였고, 희생 제사로 더욱 정결해졌다. 신약성경에서는 예수 그리스도의 희생이 성사를 매개로 교회와 그 구성원들을 정화시킨다. "저 사람들은 큰 환난을 겪어낸 사람들이다. 저들은 어린양의 피로 자기들의 긴 겉옷을 깨끗이 빨아 희게 하였다."(묵시 7,14) "그러나 여러분은 주 예수 그리스도의 이름과 우리 하느님의 영으로 깨끗이 씻겨졌습니다. 그리고 거룩하게 되었고 또 의롭게 되었습니다."(1코린 6,11) 우리는 세례성사를 받음으로써 깨끗하게 정화되고 거룩하게 된다.

**법률** 여기서는 구원이 법적인 용어로 표현된다.

재판관이신 하느님 앞에서 우리 죄는 사해진다. 이것은 예수 그리스도의 업적이니 우리에게 당신의 흠 없는 삶에 참여할 수 있도록 하심으로써 우리를 무죄 방면해 주셨다. "그리스도 예수님 안에서 이루어진 속량을 통하여 그분의 은총으로 거저 의롭게 됩니다."(로마 3,24) "이 선물의 경우도 그 한 사람이 죄를 지은 경우와는 다릅니다. 한 번의 범죄 뒤에 이루어진 심판은 유죄 판결을 가져왔지만, 많은 범죄 뒤에 이루어진 은사는 무죄 선언을 가져왔습니다. 사실 그 한 사람의 범죄로 그 한 사람을 통하여 죽음이 지배하게 되었지만, 은총과 의로움의 선물을 충만히 받은 이들은 예수 그리스도 한 분을 통하여 생명을 누리며 지배할 것입니다."(5,16-17)

## 심각한 오류

하느님의 구원을 표현하는 속량 · 구속 · 구원 · 성화 · 의화가 계약이라는 하나의 개념 안에 어떻게 수렴되는지 살펴보자.

어떤 성경학자도, 진지하게 성경공부를 하는 어떤 이도 고대 이스라엘 사람들의 삶 안에서 계약이 중심 사상이었다는 사실을 부정하지 않는다. 그러나 그것이 의미하는 바에 대해서는 자신 없어 한다. 시간적으로나 공간적으로 우리는 고대 이스라엘 사람들의 삶의 자리에서 너무 멀리 떨어져 있기 때문에 개념적 거리감을 극복하기가 매우 어렵다. 성경저자들한테는 너무도 자연스럽게 여겨졌지만 우리한테는 부자연스럽기 짝이 없는 것을 재구성한다는 것은 매우 어려운 일이다.

그러나 계약에 대한 이스라엘 사람들의 경험을 조각조각 맞추어 나가다 보면 어느새 네 가지 배경, 곧 군사 · 상업 · 법 · 전례 용어 안에 살아 숨 쉬던 계약이라는 실재가 드러난다. 분명히 밝혀두지만 이는 결코 역사적 호기심이 아니다. 역사학의 성과를 신학 이론에 적용해 보면 가톨릭교회의 신학은 많은 프로테스탄트 목사가 주장하는 논리의 오류나 부족함을 교정하고 채워줄 능력이 있음을 발견한다.

텔레비전이나 라디오에서 설교하는 목사들의 이야기를 듣다 보면 이내 상투적인 어구를 알 수 있다. 예를 들면 '하느님께서 그리스도 안에서 우리 죄를 벌하셨다', '하느님께서 더 이상 당신 외아들을 보지 못하시고 인간의 죄만 보시어 예수께 당신의 노여움을 터뜨리셨다', '그제야 법적 치환이 이루어졌다. 곧 예수께서 우리 죄와 우리가 받을 벌을 떠맡으셨고, 우리는 그분의 의로움과 그분이 받을 상을 받았다'는 것이다.

## ▌소액소송과 형사소송

'법적 치환'이라는 표현이 문제가 되는 것은 목사들이 제 주장을 펴기 위해 가정한 가설이요, 허구이기 때문이다. 예수님은 유다인들이 고발한 죄목에 대해 무죄였기 때문에 그 죄목에 해당하는 형벌을 받아서는 안 된다. 이스라엘의 법률적 관례는 오늘날 우리가 알고 있는 것과 유사했다.

내가 어떤 사람에게 재산상의 손해를 입혀 법원에서 유죄 판결을 받았다고 가정해 보자. 이때 보상 능력이 없다면 나의 이웃이 개입하여 나 대신 빚을 갚아줄 수 있다. 경제적 손실은 이처럼 이전移轉 또는 치환될 수 있다. 그러나 형벌은 불가능했다. 내가 살인죄로 유죄 판결을 받았다고 가정해 보자. 이때 이웃이 개입하여 나 대신 사형을 받거나 옥살이를 할 수는 없다. 형벌은 그때나 지금이나 대체될 수 없다.

만약 그리스도께서 우리를 대신하여 벌을 받으셨다면 왜 우리가 아직까지 그 벌을 받아야 하는지 따져 물을 수 있다. 우리는 왜 여전히 고통을 겪고 죽어야 하는가? 그리스도가 우리 죄를 대신해 죽으셨다면 우리가 겪을 고통도 모두 갚아 없앴어야 하지 않는가?

그러나 계약의 논리와 교회 가르침을 따르면 그리스도는 형법상 우리의 대체자가 아니었다. 오히려 그분은 우리의 법적 대리인이었다. 우리를 구원하기 위해 받으신 수난이 대리적 성격의 것이었기에 우리의 고난을 면제해 주지 않는다. 오히려 우리가 겪는 고난에 속죄와 구원의 의의를 부여한다.(콜로 1,24)

예수께서는 우리를 대신해 빚을 갚으셨다. 우리가 갚을 능력이 없는 빚을 지고 있었기 때문이다. 경제적 논리로는 대체 이론이 가능하지만 형법에는 적용될 수 없다. 죄 없는 사람이 대신 벌을 받는다는 것 자체가 정의에 어긋나는 일이기 때문이다. 그것은 신의 무분별함이나 일시적 광기의 징후다. 더구나 어떻게 아버지가 당신의 외아들을 '보지 못한다.'는 말인가? 그것도 아들이 아버지에 대한 철저한 순종과 사랑으로 십자가 위에 매달려 있는 순간에 말이다! 물론 아버지는 아들을 볼 수 있었으며, 아버지의 뜻대로 십자가에 매달리신 그 순간만큼 그리스도의 인성이 아름답게 빛난 적도 없었으리라!

분별없는 아버지가 죄 없는 아들에게 극단적으로 앙갚음하는 설교는 용납할 수 없는 신성모독 수준이다. 그런 설교는 하느님의 구원 행위를 지칭하는 모든 은유의 진실성을 입증해 주는 원칙에 의해 반드시 교정 · 보완되어야 한다.

우리는 계약이 무엇인지 알아야 한다. 계약을 이해하기 위해서는 먼저 까치발로 서서 우리 문화라는 벽 너머를 봐야 한다. 그리고 어떤 이유로 초세기 그리스도인들에게 복음서가 그토록 설득력이 있었는지 알아야 한다. 그것은 전례 · 경제 · 군사 용어뿐 아니라 법률 용어로 이해된 계약 가족covenant-family이었다. 부족 중심 국가인 이스라엘은 이렇게 이해했다. 오늘날 교회라는 성사적 · 보편적 가족도 이와 같이 이해한다. 다시 말하면 교회 안에서 우리는 영적 전투, 죄인을 구제하는 사목 활동, 전례적 예배, 자신의 죄를 인정하고 하느님의 자비를 구하는 법정, 곧 고해성사를 경험한다.

## 새로운 계약

그리스도께서는 옛 계약을 완성하러 오셨다. 따라서 구약의 가족은 모든 면에서 신약에서 그 꽃을 활짝 피운다. 아담 · 노아 · 아브라함 · 모세 · 다윗과 맺으신 계약을 통해 하느님은 '계약 가족'의 범위를 개방하셨다. 처음에는 한 쌍의 부부에게, 그다음에는 한 가족에게, 그리고 한 부족, 한 나라, 한 왕국, 마침내 예수와 계약을 맺음으로써 보편적 가족으로 온 인류를 초대하셨다. 그리스도의 '진정한 가족'은 세례를 통해 하느님의 자녀로 새로 난 사람들(요한 3,3-8)과 성사 생활을 통해 지속적으로 당신 생명에 참여하는 사람들로 구성된다. 이들은 그리스도의 형제가 된다.(로마 8,14-15.29)

바야흐로 성사는 하느님의 계약 가족의 일원이 되는 수단이다. 그뿐 아니라 성사는 계약이 깨졌을 때 갱신하고 회복시키는 역할도 한다.

성사는 그리스도인의 계약에 대한 서약과 공동 식사와 봉헌으로 특징지워진다. '성사 sacrament' 라는 어휘가 이를 말해 준다.

앞에서도 언급했듯이 성사란 라틴어 sacramentum에서 온 말로 '서약'을 뜻한다. 이 말은 초대교회 때부터 교회 전례에서 사용되었다. 이교도였던 로마 역사가 플리니는 기원후 110년경 그리스도인들이 해뜨기 전 새벽에 한자리에 모여 그리스도께 찬가를 불렀다고 기록한다. 그런 다음 '엄숙한 서약으로… 사기 · 도둑질 · 간음 · 거짓 증언을 하지 않겠다고…' 맹세했다고 한다. 이어지는 플리니의 진술을 따르면 그들은 이러한 서약을 맹세한 다음 해산했다가 나중에 다시 모여 성체를 영했다.

이는 기원후 1세기 중반의 「디다케」에 기록된 내용, 곧 성찬례 전에 행했던 '고백'과 비슷하며, 예수께서 봉헌의 선행조건으로 명하신 고백과도 흡사하다. "네가 제단에 예물을 바치려고 하다가, 거기에서 형제가 너에게 원망을 품고 있는 것이 생각나거든, 예물을 거기 제단 앞에 놓아두고 물러가 먼저 그 형제와 화해하여라. 그런 다음에 돌아와서 예물을 바쳐라."(마태 5,23-24)

'형제와 화해'한다는 것은 아버지 하느님의 눈으로 볼 때 가족에게 돌아온다는 뜻이다. 하느님께서 고해성사를 통해 그리스도인들에게 회복시켜 주시는 것도 바로 가족의 유대다. 고해성사는 우리를 교회 안에서, 세상 안의 하느님 가족 안에서 형제의 지위로 회복시킨다. 그리스도, 곧 하느님의 영원한 가족 안에서 우리를 하느님의 자녀로 회복시킨다.

화해하고 나면 정화된 영혼으로 제단에 나가 봉헌할 수 있다. 거기서 새롭고 영원한 계약의 피, 곧 그리스도의 피를 마실 수 있다. 그 피로써 우리는 속량되고 의화되고 성화되고 구원된다.

### 자기를 희생하는 사랑

용서는 크나큰 선물이지만 궁극적 선물은 아니다. 그것은 더 큰 것을 위해 우리를 준비시키려는 선물이다. 그리스도인들은 죄에서 건져진 것이 아니라 아들의 지위, 다시 말해 그리스도 안에서 거룩한 아들의 지위를 위해 구해진 것이다. 우리는 사면받은 죄인이 아니라 입양된 아들딸, 하느님의 자녀다. '우리는 하느님의 아들 그리스도 안에 있는 자녀들로 성삼위의 내적 생활에 참여한다.

우리는 하느님의 은총으로 용서받았을 뿐 아니라 입양되고 거룩하게 되었다. 우리는 '하느님의 본성에 참여하게'(2베드 1,4) 되었다. 이것이 바로 하느님께서 인간을 창조하신 궁극적 이유다. 성삼위의 생명을 주는 사랑에 참여시키는 것이다. 자기를 희생하는 사랑은 하느님 계약의 핵심이다. 인간은 이를 어겼지만 예수께서 지키셨다. 육화를 통해 하느님께서는 인간 본성을 성삼위의 사랑의 완전한 모습으로 그리고 도구로 변모시키셨다. 하느님의 아들이 '종의 모습을 취하시고'(필리 2,7) 죄 많은 종들을 하느님의 아들로 회복시켰다. 성 아타나시오가 선언했듯이 "하느님의 아들이 사람의 아들이 되시어 인간의 자녀가 하느님의 자녀가 되게 하셨다".

그렇다면 고해성사의 가장 중요한 효과는 용서를 통해 우리를 성삼위의 삶으로 회복시키는 것이다. 그리스도인들은 입양된 자녀로서 외아들과 결합되어 하느님을 '아버지'라 부르게 되었다. (「교리서」 1997항)

# 8 되찾은 아들의 비밀

고해성사는 가족의 일이며 재회다. 제멋대로 떠난 아들이 고향집과 아버지 품으로 돌아옴이다. 전통적으로 그리스도인들에게 고해성사는 교의 그 이상이었다. 그것은 타락과 회복, 관계의 소원함과 화해의 이야기다. 누구나 공감하는 자신의 이야기다. 그러나 그리스도인들이 고해성사에 대해 언급할 때는 언제나 한 가족 이야기, 곧 되찾은 아들의 비유(루카 15,11-32)를 들어 이야기한다.

## 제멋대로 하고 싶어하는 아들

예수께서 두 아들을 둔 부자 아버지에 관해 이야기하신다. 어느 날 작은아들이 자기 몫의 유산을 줄 것을 요구한다. 아버지는 작은아들의 청을 들어주었고 아들은 서둘러 짐을 챙겨 먼 고장으로 떠난다. 그곳에서 방탕한 생활로 재산을 모두 탕진한 아들은 그 지방에 기근까지 들자 허기진 배를 안고 돼지에게 먹이 주는 일자리를 구한다. 돼지 먹이도 먹을 수 있을 것 같았다. 그러나 그마저도 주는 사람이 없었다.

마침내 정신을 차린 그는 이렇게 생각한다. "내 아버지의 그 많은 품팔이꾼들은 먹을 것이 남아도는데, 나는 여기에서 굶어 죽는구나. 일어나 아버지께 가서 이렇게 말씀드려야지. '아버지, 제가 하늘과 아버지께 죄를 지었습니다. 저는 아버지의 아들이라고 불릴 자격이 없습니다. 저를 아버지의 품팔이꾼 가운데 하나로 삼아 주십시오.'"

그리고 그는 고향으로 돌아가기 위해 길을 떠난다. 그가 고향집에 도착하기도 전에 아버지는 작은아들을 멀리서 알아보고 한걸음에 달려가 끌어안고 입을 맞춘다.

그러자 아들은 미리 마음속에 준비해 두었던 말을 꺼낸다. "아버지, 제가 하늘과 아버지께 죄를 지었습니다. 저는 아버지의 아들이라고 불릴 자격이 없습니다." 그러나 아버지는 아들의 말을 중간에 막고는 종들을 불러 이렇게 말한다. "어서 가장 좋은 옷을 가져다 입히고 손에 반지를 끼우고 발에 신발을 신겨주어라. 그리고 살진 송아지를 끌어다가 잡아라. 먹고 즐기자. 나의 이 아들은 죽었다가 다시 살아났고 내가 잃었다가 도로 찾았다."

한편 일을 마치고 돌아오던 큰아들은 집 근처에서 들려오는 음악소리에 하인 하나를 불러 무슨 일이냐고 하자 종은 자초지종 설명한다. 그 이야기를 들은 큰아들은 화를 내며 집에 들어가려 하지 않는다.

아버지가 나와 달래보지만 큰아들은 이렇게 대꾸한다. “보십시오, 저는 여러 해 동안 종처럼 아버지를 섬기며 아버지의 명을 한 번도 어기지 않았습니다. 이러한 저에게 아버지는 친구들과 즐기라고 염소 한 마리 주신 적이 없습니다. 그런데 창녀들과 어울려 아버지의 가산을 들어먹은 저 아들이 오니까, 살진 송아지를 잡아주시는군요.”

그러자 아버지가 그에게 일렀다. “얘야, 너는 늘 나와 함께 있고 내 것이 다 네 것이다. 너의 저 아우는 죽었다가 다시 살아났고 내가 잃었다가 되찾았다. 그러니 즐기고 기뻐해야 한다.”

## 식상한 이야기?

그리스도인들은 지난 2천 년 동안 이 이야기를 묵상해 왔고 큰 감동을 받았다. 시인들이 이 이야기를 소재로 시를 썼고 천재 예술가들은 그림과 조각으로 표현하거나 스테인드글라스에 담기 위해 열정을 쏟았다. 설교자들은 이 이야기를 음미해 보고 설교대에서 목소리에 힘을 주어가며 메시지를 전하려고 애썼다. 이 이야기는 반복해 전해지고 개조되고 개정되어 장편 · 단편소설로 쓰였고, 텔레비전 드라마와 영화로 만들어졌다. 되찾은 아들의 비유는 다섯 손가락 안에 꼽힐 정도로 널리 알려진 이야기다.

우리가 여기서 잠시 멈추어 전체적인 맥락과 세부사항을 꼼꼼하게 들여다보고 공부해 볼 필요가 있는 것도 이 때문이다. 이 이야기에 지나치게 친숙해져 있어 자칫 놓치는 부분이 있을 수 있기 때문이다. 말씀을 경청하지 않고 처음 들었을 때 가졌던 인상이나 그림 성경에서 보았던 이미지에 사로잡혀 있기 십상이기 때문이다.

어떤 이야기는 그렇게 해도 무방하겠지만 예수 그리스도의 비유 이야기는 다르다. 예수께서 해주신 것은 무에서 만물을 창조하신 하느님의 솜씨로 빚어진 이야기이기 때문이다. 작가가 책을 쓰듯 하느님께서는 세상을 쓰셨다. 하느님이 이 이야기를 지어내셨다면, 그 의미는 세상만큼이나 다함이 없을 것이다.

이 비유는 한 발짝 물러서서 큰 그림을 그려볼 필요가 있다. 다시 말해 문학적 · 역사적 · 문화적 맥락 안에서, 예수님의 시각과 루카복음사가의 시각으로 바라보아야 한다.

네 복음서 모두 하느님의 자비에 대해 다루지만 그 가운데서도 루카복음서의 자료가 가장 풍부하다. 평생 죄를 짓고 살다가 예수님의 오른쪽 십자가 형틀에 매달려 숨을 거두기 직전 낙원에 들어가게 된 죄수의 이야기는 오직 루카복음서(23,39-43)에만 전해진다. 되찾은 아들의 비유는 루카복음서의 여러 비유(천상의 의미를 담고 있는 지상 이야기)가 밀집해 있는 부분에 자리하고 있는데, 대부분의 비유는 어떤 의미에서 하느님의 자비를 주제로 한다.

## 바리사이들이 목격한 것

예수님이 자비를 강조하는 이유는 무엇일까? 직접적인 배경은 예수님의 언행에 대한 바리사이들의 불평이다. 그들은 예수께서 사회적으로 평판이 나쁜 사람들과 한자리에 앉아 식사를 하곤 한다는 사실에 격분한다. "세리들과 죄인들이 모두 예수님의 말씀을 들으려고 가까이 모여들고 있었다. 그러자 바리사이들과 율법학자들이, '저 사람은 죄인들을 받아들이고 또 그들과 함께 음식을 먹는군.' 하고 투덜거렸다."(루카 15,1-2) 그들이 불평한 것은 이번이 처음은 아니었다. 한번은 예수께서 그들에게 짧고 단호하게 답하셨다. "건강한 이들에게는 의사가 필요하지 않으나 병든 이들에게는 필요하다. 나는 의인이 아니라 죄인을 불러 회개시키러 왔다."(5,31-32) 그러나 그들은 그분의 말씀을 받아들이지 않았다.

한 가지 공통점은 예수님과 바리사이가 식탁 공동체를 지극히 중요하게 여겼다는 것이다. 신심 깊은 유다인들한테는 일상적인 식사조차도 종교적인 의미를 가지는 것이므로 일정한 전례적 예법이 있었다. 축복 기도에 이어 빵을 나누는 예식이 있었고 포도주 잔을 돌려 마시는 예식이 있었다. 현대인들이 즐겨 먹는 '패스트푸드'가 그들한테는 신성 모독으로 여겨지리라.

바리사이들은 전통을 엄격하게 준수했다. 그들은 죄인, 이교도, 월경 중인 여성, 시신에 손을 댄 사람과 같이 '부정하다'고 생각되는 사람들과 함께 식사하는 걸 용납하지 않았다. 그러한 배타성은 바리사이들의 고유하고 본질적인 모습이었다. 고대 유다교의 대표 학파인 힐렐과 샴마이의 전통 중 67퍼센트가 식탁 예법과 정결례에 관한 것이다. 바리사이pharisee라는 이름부터가 히브리어 파루쉼פרשם에서 유래하는 것으로 '분리된 자들'이라는 뜻이다. 그들은 예수님과 함께 식사하던 천민과는 거리가 멀었고 상대도 하지 않았다.

반면 예수님은 '많은 군중'(14,25), 하층민, 천민과 함께 있는 것을 기쁘게 여겼던 듯하다. 그들과 한 상에 앉아 음식을 드시면서 다음과 같은 비유를 말씀하셨다. 어떤 부자가 잔치를 준비했는데 '지위' 있는 사람들, 곧 땅 부자, 전문직 종사자, 상인들이 자신의 초대를 거절하자 부랑자와 버림받은 사람들을 불러 잔칫상에 앉히라고 말했다는 이야기다. "큰길과 울타리 쪽으로 나가 어떻게 해서라도 사람들을 들어오게 하여, 내 집이 가득 차게 하여라."(14,23)

## 잃었다가 찾음

바리사이들이 투덜댔다. "저 사람은 죄인들을 받아들이고 또 그들과 함께 음식을 먹는군."(15,2)

단순하고 직설적인 답변이 먹혀들지 않으므로 예수께서 이번에는 세 가지 비유를 들어 답하셨다. 곧 되찾은 양의 비유, 되찾은 은전의 비유, 되찾은 아들의 비유다. 세 번째는 '돌아온 탕자의 비유'로 잘 알려져 있다.

세 가지 이야기에 등장하는 인물은 무언가 귀중한 것을 잃어버렸다. '되찾은 양'을 한번 생각해 보자. 예수 시대 사람들은 양에서 털실과 양식을 얻었고, 희생 제물로도 바쳤다. 목자가 양 한 마리를 잃는다는 것은 향후 몇 년간 수입 감소를 의미했다. 그래서 비유에 등장하는 목자는 양 아흔아홉 마리를 놓아둔 채 길 잃은 양 한 마리를 찾아 나선다. 이번에는 '되찾은 은전'을 한번 생각해 보자. 그것은 드락메(로마 은전 한 데나리온과 같은 값어치에 해당하는 그리스 은전)였는데 성인 남성 노동자의 하루 품삯에 해당한다. 여성의 품삯은 훨씬 적었다. 어쨌든 은전을 찾지 못한다면 비유에 등장하는 여성은 며칠 동안 굶주림의 고통을 겪어야 할지도 모른다.

자, 그러면 되찾은 아들은 어떤가? 아들의 가치란 그야말로 이루 말할 수 없이 소중하지 않겠는가?

이 비유는 한 가족에서 시작된다. 아버지와 두 아들이다. 세 사람은 한 핏줄이기도 하지만 계약의 유대가 더 강하다. 이 비유를 뒷받침하며 감동적인 드라마를 구상하는 것은 계약의 이치, 곧 계약의 논리다.

아버지는 아들을 무엇보다 소중하게 여긴다. 그러나 정작 철없는 아들은 자신이 값싸게 굴어도, 천박하게 굴어도 좋다고 생각한다. 물론 자신에게 돌아올 유산은 상당했지만 말이다. 그는 가족의 재산 가운데 자기 몫을 당장 찾아가고 싶어했다. 이는 매우 기이한 요구다. 장차 받을 유산을 미리 앞당겨 요구하는 것은 아들로서 매우 이례적일 뿐 아니라 배은망덕한 일이었다. 아버지가 죽기만 애타게 기다린다는 말이 될 수도 있다.

기원전 3세기경에 쓰인 집회서에는 유산을 물려줄 적절한 시기에 대해 이렇게 말한다. "네 생애의 마지막 날을 맞이하여 죽을 때에 유산을 나누어 주어라."(33,24) 그 시기를 앞당기려는 아들은 무례하다는 질책을 받아 마땅했다.

그러나 아버지는 아들의 청을 들어주었고, 아들은 마치 아버지가 돌아가신 것처럼 행동한다. 아들은 서둘러 제 몫을 챙겨 미련 없이 가족을 떠난다. 여기서 그가 "먼 고장으로 떠났다."(루카 15,13)는 말씀의 의미를 놓치면 안 된다. 가족의 땅을 떠남으로써 그는 계약의 바깥에 서게 되었고, 민족의 전통이나 관습과 조상들의 하느님을 버린 셈이 된 것이다. 결국 그는 이교도의 삶을 선택한 것이다.

이어지는 그의 행실이 그것을 증명한다. 예수님은 이를 한마디로 '방종한 생활'이라고 표현한다. 지켜주고 돌보아 줄 아버지가 없는 상태에서 아들은 이미 무분별해진 자신의 욕망에 탐닉함으로써 점점 더 타락한다. 그의 형의 말로써 우리는 그의 방종함으로 가장 이득을 본 이들이 창녀들이었음을 알 수 있다.(15,30)

탕자는 도덕적으로 파산하기 훨씬 전부터 이미 재정적으로 파산한다. 그리고 때맞추어 그가 머무르던 지방에 기근이라는 자연재해가 닥친다. 일시적 쾌락에 빠진 지 몇 개월이 지나자 그는 허기도 채우지 못하는 비참한 상황에 놓인다. 그는 굶주림에 지쳐 자기를 받아 주는 유일한 곳, 유다인한테는 그야말로 지옥 같은 일자리, 가장 부정한 동물인 돼지(레위 11,7)를 치는 농장으로 가게 된다. 농장 주인이 이교도라 안식일 규정조차 지키지 못한 채 노동에 시달릴 수밖에 없었다.(탈출 20,8-11) 그렇게 수치스러운 일자리라도 마다할 수 없는 그의 처지가 얼마나 절박했을지 짐작이 간다.

더욱이 자신의 처지가 돼지들보다도 못하다는 생각이 들었다. 돼지들은 적어도 제때에 먹을 수는 있었다. 끼니조차 때우지 못하는 그에게 관심을 보이는 사람도 없었다. 그는 돼지들에게 던져주는 먹이로라도 굶주림을 채워보려 하지만 그것조차 주는 사람이 없었다.

## 집으로

앞에서 그 젊은이의 도덕적 · 재정적 파산에 '때맞추어' 기근이라는 자연재해가 닥쳤다고 말했다. 그러나 그것이 우연히 동시에 일어난 사건이었다는 뜻은 아니다. 동시에 일어난 것은 사실이지만 결코 우연은 아니었다. 나는 그것이 하느님의 섭리였다고 감히 말한다. 오직 그러한 심각한 재해만이 탕자의 회개를 이끌어 낼 수 있기 때문이다.

그가 아버지의 집으로 돌아가기로 한 것은 향수병 때문이 아니었다. 굶주림과 수치심과 죽음에 대한 두려움 때문이었다. 제정신이 들기 시작하면서 그는 먼 외국 땅에서 감각의 노예가 되어 죽는 것보다는 아버지의 노예로 살아가는 편이 낫겠다고 생각한다. 그가 돼지 사료라도 먹어보려 애를 태우는 동안 고향집에 있는 종들은 '빵이 남아돌았다'.

그리하여 귀향길에 나섰는데 주린 배를 움켜쥔 젊은이는 그 길이 더욱 멀게만 느껴졌으리라. 마침내 아버지 소유의 땅에 들어섰을 때 느낀 배고픔과 수치심은 몸에서 풍기는 악취만큼 견디기 힘들었으리라.

그가 아직 멀리 있었는데도 아버지는 아들을 알아보았다. 아버지가 잃어버린 아들을 기다리며 항상 내다보고 있지 않았다면 과연 그런 일이 있었겠는가?

노인은 참으로 놀라운 행동을 보인다. 아들을 맞으러 달려 나간 것이다. 그런 행동은 문화적인 금기 사항이나 다름없었다. 점잖은 귀족 신분의 노인이 뛴다는 것은 꼴사나운 것으로 여겨졌기 때문이다. 하지만 노인은 위엄이나 체면 따위는 아랑곳하지 않고 달려가 아들을 끌어안으며 한없는 사랑을 베푼다. 성경은 아버지가 "목을 껴안고 입을 맞추었다."(루카 15,20)며 한층 감동적으로 전한다.

아들은 마음속으로 여러 번 준비한 말을 꺼낸다. "아버지, 제가 하늘과 아버지께 죄를 지었습니다." 그러나 아버지는 아들의 말을 가로막는다. 아들의 통회는 불완전한 것이었다. 그저 주린 배를 채우고 따뜻한 잠자리에서 자고 싶다는 마음이 더 컸다고 볼 수 있으니 말이다. 그러나 아버지는 그것으로 충분했다. 아들이 집으로 돌아왔고 자기 죄를 인정했기 때문이다.

3세기 성경 주석가 오리게네스는 아버지가 아들을 집으로 데리고 온 시점은 아들이 통회하는 마음을 보이고 난 다음이라는 점, 곧 자기 죄를 고백하고 나서였다는 점을 지적한 바 있다. "천국이 아버지의 집이며 그곳을 떠난 것이 잘못이었음을 믿지 않았다면, 그는 '하늘'에 죄를 지었다는 고백을 덧붙이지 않았으리라. 그러므로 그러한 고백은 아버지의 마음을 많이 누그러뜨렸을 것이다."

그러자 그 순간 아들의 지위 · 유산 · 가족 안의 삶 등 모든 것을 상실케 했던 죄, 곧 대죄(죽을죄)가 사해졌다. "나의 이 아들은 죽었다가 다시 살아났다."(15,24)

## 반지

참으로 훌륭한 비유가 이 짤막한 이야기 안에 함축되어 있다. 그 안에는 모든 것, 다시 말해 죄, 탐욕에 의한 타락, 흐려질 대로 흐려진 지성, 아들의 도덕적 '죽음', 하느님의 섭리에 따른 고난, 자연재해, 여전히 통회가 부족한 죄인임에도 기꺼이 마중 나와주시는 하느님이 압축되어 있다.

아버지와 아들의 관계가 회복된 뒤 아들이 받은 것은 무엇인가? 가장 좋은 옷과 반지와 신발과 그를 위한 잔치였다.(15,22-23) 각 선물에는 엄청난 상징적 가치가 담겨 있다. 도장이 새겨진 반지는 계약 가족의 문장이자 상징이다. 겉옷과 함께 이 문장이 새겨진 반지는 아들이 아버지의 권위를 공유한다는 표지다.(창세 41,42; 에스 3,10; 1마카 6,15) 신발은 자유인임을 나타내는 표시였다. 노예들은 신을 신지 않았다.

아들은 자기 정욕의 노예가 되기를 자청했고, 이교도 주인을 섬겼으며, 이제는 조상의 땅에서 노예로 살게 해 달라고 간청을 했지만 아버지는 아들의 청을 거부했다. 기껏 좀 더 나은 노예 상태로 살게 하려고 아들을 이교도의 노예 상태에서 구해 주는 것이 아니었다. 아들의 지위를 회복시키기 위한 것이었기에 자연히 상속자의 지위도 회복시켜 아버지의 권위에 참여하게 하려는 것이다.

그러기 위해서는 먼저 아버지의 생명에 참여해야 하며 한 식탁에 앉아야 한다! 루카복음사가는 이야기를 길바닥에서 잔칫집으로, 고백에서 잔치로, 소원해진 관계에서 '한 식탁의 친교'로 옮겨간다. 이와 같은 친교를 일컫는 가장 일반적인 그리스어는 코이노니아κοινωνία로 친교·성찬communion으로 번역한다. 아버지는 모두에게 '빵이 남아도는' 곳에서 아들에게 친교의 관계를 회복시켜 준다.

이 비유에 등장하는 아버지를 어떻게 표현할 수 있을까? 주저하지 않고 이렇게 말할 수 있을 것이다. "이 사람이 죄인들을 맞아들이고 그들과 함께 음식을 먹는구나!"

## 형

이 드라마에는 제3의 등장인물이 있다는 것을 잊어서는 안 된다. 더구나 이 비유가 바리사이들을 우선적으로 겨냥한 이야기라면 이 등장인물의 비중을 가장 크다고 볼 수도 있다. 그래서 필자는 이 이야기를 '큰형의 비유'라고도 한다.

형의 태도가 예수님의 처신에 대한 바리사이들의 못마땅한 심경을 반영하기 때문이다.(루카 15,2) 그들은 죄인들을 받아들이시는 하느님의 모습을 목격하고도 그것을 율법의 정의에 어긋나는 것으로 잘못 이해했다. 잠시 구약에서 계약을 맺는 고전적 방식을 찾아보자.

> 나는 오늘 하늘과 땅을 증인으로 세우고, 생명과 죽음, 축복과 저주를 너희 앞에 내놓았다. 너희와 너희 후손이 살려면 생명을 선택해야 한다. 또한 주 너희 하느님을 사랑하고 그분의 말씀을 들으며 그분께 매달려야 한다. 주님은 너희의 생명이시다. 그리고 너희의 조상 아브라함과 이사악과 야곱에게 주시겠다고 맹세하신 땅에서 너희가 오랫동안 살 수 있게 해주실 분이시다.(신명 30,19-20)

죄인들이란 계약을 어기고, 율법을 지키지 않으며, 죽음을 택하고 선조의 땅에서 아들로 그리고 상속자로 살아갈 권리를 잃어버린 이들이다. 이렇게 본다면 방탕한 동생은 분명 하느님의 저주를 받을 만한 큰 죄인이다.

형은 바리사이들과 마찬가지로 불공평하다고 생각하며 분개한다. 그리고 바리사이들처럼 사랑의 계약이 갖는 논리의 단초도 이해하지 못한다.

계약 위반에 따른 결과는 반드시 있기 마련이다. 그러나 고향으로 돌아오는 길은 언제나 열려 있다. 계약이란 가족의 유대다. 노비 문서가 아니다. 깨어진 계약 관계는 회복될 수 있고 다시 맺어질 수 있다.

형이 가지고 있는 문제점이라면 가족이라는 관점이 아닌 노예라는 관점에서 생각하는 것이며 이는 그가 내뱉은 말에서 알 수 있다. (이것은 바리사이들의 문제점이기도 하다.) 열심히 집안일을 도맡아 했지만 즐거움을 모르는 노예처럼 주인의 명령에 복종한 것뿐이었다.

동생과 달리 그는 아버지를 '아버지'라 부르지 않고 '당신'이라고 부르며, 자기 동생을 '동생'이라 부르지 않고 '당신 아들'이라 부른다. 동생을 위한 잔치에 질투심을 느껴 가족 만찬에 참석하기보다 친구들과 어울리는 잔치를 벌이고 싶어한다. "저에게 아버지는 친구들과 즐기라고 염소 한 마리 주신 적이 없습니다."(루카 15,29) 이는 아들의 말투라기보다 노예의 입장에서나

할 수 있는 말이다.

## 끊임없이 등장하는 문제점

예수님은 앞에 서 있던 특정한 몇몇 사람들을 겨냥해 이 비유를 말씀하셨다. 바리사이인 그들은 실행에 옮기기에는 이미 불가능한 계율을 한층 더 까다롭게 수정하고 싶어했다. 일부 성경 비평학자들이 지적했듯이 예수께서는 반유다적인 의도로 이 이야기를 하신 것이 아니다. 예수님도 율법을 준수하는 유다인으로서 모세율법의 영속성에 찬사를 보낸 바 있기 때문이다.(마태 5,18 참조)

바리사이들이 안고 있는 문제점은 그들만의 것이 아니다. 그것은 비유에 등장하는 큰아들 또는 역사상 어느 종교집단에서나 발견된다. 누구나 갖고 있으며, 자신이 의롭다는 자부심을 가지고 있는 집단에서 반복해 고개를 드는 문제다. 그들은 자신의 행업은 인정받아야 마땅하며, 하느님이 그에 해당하는 보답 곧 은혜를 베풀어 주기를 바란다. 이와 같은 이해는 계약을 곡해하는 것으로, 구약시대나 신약시대나 마찬가지였다.

역사를 통해 교회 안에서 발생했던 이단은 대부분 '지나친 소홀함이나 방종'이 아닌 '지나친 청렴함이나 결백함'에서 비롯되었다. 기원후 3세기에 몬타니스트(montanist: 세계의 종말을 예언하고 엄격한 금욕주의를 강조함)는 일부 성직자들의 태만한 생활에 분개해 스스로를 분리시켰다. 자신들은 죄인들과는 다르다고 생각한 것이다. 조금 후대의 도나티스트(donatist: 교회에 대한 국가의 간섭을 반대하고 참회의 삶과 순교를 주장함)는 교회가 배교자들을 다시 받아들이는 데 너무 관대하다며 비판했다. 그들은 자신들만의 성찬례를 지내기로 결정했다. '너보다 내가 더 순수하다.'는 식의 이단들은 모두 '죄인들을 맞아들이고 그들과 함께 음식을' 나누려는 교회의 뜻을 수치스럽게 생각하며 분노했다. 더 깊고 폭넓은 친교 대신에 그들은 분리주의 · 배타주의 · 분열을 선택했다. 이는 오래전 바리사이들이 선택한 노선이었다.

그리스도께서 그러하셨듯이 교회는 그런 신조를 용인할 수 없었다. 천주교회가 사도신경에서 '죄의 용서'를 고백하는 이유가 바로 이 때문이다. 우리가 이를 고백하는 이유는 그것을 부정하는 사람들이 언제든 나타날 수 있기 때문이다.

### 두려워 마라

이 비유는 노예 상태에서 아들의 지위로, 파문에서 식탁 친교로, 고백에서 화해와 친교로 옮겨가는 극적 효과를 보여준다. 아버지는 위엄과 체면을 버리고 아들의 처지에 공감하기 위해 한없이 겸손하게 자신을 낮춤으로써 아들이 가족 안에서 다시 고귀한 삶을 공유할 수 있게 한다. 이것이 아버지의 방식, 곧 하느님의 방식이었으니 당신 스스로 사람이 되시어 인간을 거룩하게 하셨다. "당신 자신을 낮추시어 우리와 같은 사람이 되신 그리스도의 신성에 참여케 하소서."

이는 오래전에 있었던 먼 나라 이야기가 아니다. 사도 바오로의 이야기고 우리 이야기다. 사도 바오로는 이 비유에 대한 주석이라 해도 손색이 없는 말을 했다. "여러분은 사람을 다시 두려움에 빠뜨리는 종살이의 영을 받은 것이 아니라, 여러분을 자녀로 삼도록 해주시는 영을 받았습니다. 이 성령의 힘으로 우리가 '아빠! 아버지!' 하고 외치는 것입니다. 그리고 이 성령께서 몸소, 우리가 하느님의 자녀임을 우리의 영에게 증언해 주십니다. 자녀이면 상속자이기도 합니다. 우리는 하느님의 상속자입니다. 그리스도와 더불어 공동 상속자인 것입니다."(로마 8,15-17)

회개로 나아가는 도정에 있는 우리를 하느님께서는 벌써부터 마중 나와 계신다. 결정적으로는 몸소 사람이 되심으로써 마중 나오셨다. 지금도 고해성사를 통해 통회하는 우리를 보시고 마중 나와주시며 당신 식탁으로 이끄시어 생명의 빵을 나누어 주신다.

# 9 집을 떠나서는 참고향이 없다

우리 각자는 하느님의 '잃어버린 자녀'다. 우리는 제멋대로 집을 떠나 아버지께서 부족함 없이 주신 선물을 탕진한다. 부모님 집에서 누리는 사랑과 자유보다는 이국 땅의 유혹에 더 이끌리기도 한다. 이는 죄를 지을 때마다 반복되는 일이다. 하지만 고해성사를 볼 때마다 우리는 아버지 하느님께 돌아간다.

그런데도 우리는 되풀이해 죄를 짓고는 또다시 고향집을 찾아간다. 돌아온 탕자와 달리 우리는 죽음의 순간을 맞기까지 자신의 귀향이 과연 결정적인지 그 여부를 알 수 없다. 마지막 고해성사를 본 후에나 알 수 있을 것이다.

그때까지는 마치 본향에서 멀리 떨어진 '먼 고장', 곧 이국적이며 감각적으로 즐겁고 좋은 것들로 가득한 고장에 사는 것처럼 살아야 한다. 사실 그 생활이 얼마나 즐거운지 본향을 잊게 할 수도 있다.

우리는 누구나 '되찾은 아들'과 같다. 우리가 '먼 고장'을 여행할 수 있는 것도 아버지의 인자하심 덕분이다. 그분이 베풀어 주신 은혜가 아니었다면 여기까지 올 수도 없었으리라. 그분이 나누어 주신 유산이 아니었다면 여기서 살아남을 수도 없었으리라. 우리가 나그네로 살고 있는 이 세상을 창조하시어 존재케 하셨기 때문이다.

그렇다면 본향에서 멀리 떠나 있고 아버지께서 다그치시지 않더라도 우리는 이 세상에서 아버지 하느님의 자녀답게 살아가야 한다.

## 나그네

그리스도인들은 이 땅에서 사는 동안 마치 타향살이를 하듯 살아간다. 기원후 2세기에 한 익명의 그리스도인은 이렇게 표현했다. "이방 도시에 사는 그리스도인이나 그리스에 사는 그리스도인이나 할 것 없이… 그들은 옷 입는 것에서부터 음식이나 그 외의 생활 관습에서 그 지방 사람들이 하는 대로 따른다. 그들은 각기 자기 나라에서 살지만 나그네로 살아간다. 그 도시의 시민으로 다른 시민들과 모든 것을 공유하면서도 모든 것을 외국인처럼 감수해 낸다. 그들에게는 먼 지방이 자기 고향 같고, 각자의 고향이 이방인의 땅 같다."(디오네투스에게 보낸 편지 5)

하느님은 우리가 천국을 갈망하며 이 땅에서 살아가도록 만드셨다. 그런데 우리는 이 땅에 살면서 우주 공간에 의해서가 아니라 우리의 죄 때문에 하늘에서 너무나 멀리 떨어져 있다. 그 사이가 마침내 좁혀지고 우리가 죄에서 깨끗이 씻겨질 때 우리는 비로소 본향인 하늘이 주는 위안이 얼마나 좋은지 맛보게 될 것이다. 그날이 올 때까지 정도의 차이는 있겠지만 누구나 타향살이를 한다.

타향살이를 하는 이 세상을 살기 좋은 곳으로 창조하신 분은 하느님이시다. 세상이 주는 기쁨은 궁극적인 기쁨이 될 수 없지만 하느님은 그것을 통해 우리가 본향인 하늘을 그리워하도록 배려하셨다. 세상의 모든 것은 천상의 완전함을 엿보게 하는 표본에 지나지 않는다. 영성가 존 휴고 신부는 이렇게 말했다.

> 모든 피조물 안에 담겨진 진선미를 포함한 모든 탁월함은… 가없는 하느님의 선하심 안에서 끝없이 배가된다.… 온갖 피조물을 영원한 아름다움과 선함의 표본으로 또는 한 가닥 빛으로 이해할 때 우리는 하느님을 찬미하게 된다. 그러한 이해는 만물의 원천이신 하느님을 사랑하는 수단이며 그분께 다다르는 계단이다. 과연 최고선最高善이신 하느님께 대한 사랑은 우리가 사용하거나 다루며 손대는 모든 피조물을 포용한다.… 우리는 피조물을 궁극 목표로 삼지 않으며 희망을 걸지도 않지만 그것은 우리의 궁극적 선이고 참된 기쁨이며 진정한 목표인 하느님을 사랑하는 수단이다.

세상 만물을 창조하신 하느님은 인간이 그 안에서 궁극적인 만족을 얻지 못하게 하셨다. 이것은 한층 더 하늘나라를 그리워하게 하시기 위함이었다. 인간은 마땅히 하늘나라를 그리워해야 하지만 늘 그리워하는 것은 아니다. 우리는 짐승이나 나무가 아니라 사람이기 때문이다. 인간은 다람쥐 · 개 · 사자처럼 본능적으로 궁극적 목표에 도달할 수 있는 존재가 아니며, 화산 · 대륙 · 행성처럼 감정이 없는 존재도 아니다. 이성과 본성이 인간의 판단에 영향을 미치지만 인간은 이성과 본성의 지시를 어기고 다른 선택을 하기도 한다. 의사나 고해신부가 분명한 행동 지침을 일러줄 수 있으리라. 그런데도 우리는 여전히 다른 길을 선택한다. 인간은 선을 자유롭게 선택해야 한다. 여기서 탐욕으로 상처받은 인간의 의지와 지성 문제가 다시 대두된다.

이 세상이 주는 기쁨은 인간을 호리는 마력을 지닌다. 본래는 그 기쁨이 하느님을 갈망하도록 우리의 마음을 돋우어야 하리라. 그러나 우리는 탐욕 때문에 이 세상 것에 대한 무분별한 욕망을 키운다. 지금 이 순간 필요한 것보다 항상 더 갖길 바라며 집착하거나 탐닉한다. 그래서 자신에게 진정 도움이 되는 것 대신 욕망을 따라 선택하곤 한다. 이 세상 것에 대한 욕망을 자제하기는커녕 오히려 죄를 짓곤 한다.

죄의 고전적 정의는 '하느님께 등을 돌리고 피조물을 향해 돌아섬'이다. 사실 하느님이 창조하신 피조물은 나쁜 것이 아니라 매우 좋은 것이다. 하지만 우리는 하느님을 사랑하고 그분의 뜻을 행하며 계명을 따르는 대신 피조물이 주는 즐거움을 누림으로써 옳지 못한 선택을 한다. 하느님이 계셔야 할 자리에 피조물을 두는 것을 신앙 선조들은 우상숭배라고 했다. 어떤 의미에서 모든 죄는 우상숭배라고 할 수 있다. 창조주 대신 피조물을, 선물을 베푸신 이가 아니라 선물을 선택하기 때문이다.

세상이 주는 기쁨이 얼마나 큰지 인간은 본향을 잊은 채 덧없는 한세상 '마음껏 즐기자'는 식으로 살아갈 수 있다. 본향을 떠나온 나그네임을 잊고 이 세상에 편안하게 안주하고 싶어한다. 엄청난 대가를 치르게 되더라도 말이다.

### 이집트인을 흉내내다

출애굽과 유배생활, 광야 순례와 같은 이야기에서 구세사 계획에 변화가 일어나는 것은 우연이 아니다. 아담과 하와는 에덴동산에서 추방당했다.(창세 3,23-24) 형제를 살해한 카인은 고향에서 쫓겨나 두려움을 안고 세상을 떠돌게 되었다.(4,12-14) 세상의 죄로 인해 온 땅이 물난리를 겪을 때 노아는 방주를 만들어 그 안에서 살아야 했다.(9장) 또 하느님께서는 하늘 무서운 줄 모르는 바벨 시민들을 "온 땅으로 흩어버리셨다".(11,8) 칼데아의 우르에서 걱정 없이 살고 있던 아브라함은 하느님의 부르심을 받고 여러모로 믿기지 않는 긴 여정에 나선다.(12,1)

하느님 백성은 언제나 길 위에 있다. 이 세상에 머무는 동안

한 곳에 머물러 있는 경우는 없다. 그들은 약속의 땅을 향해 가거나 떠돌고 있거나 다른 곳으로 내빼거나 하는 중이다.(우리도 마찬가지다.)

초대교회 그리스도인들은 이러한 역사적 사건을 영적 실재의 상징 또는 '유형'으로 이해했다. 이집트의 노예생활은 원죄에 매여 있는 인간의 처지를 뜻했다. 이스라엘 백성은 스스로의 노력만으로는 노예 상태를 벗어날 수 없었다. 하느님께서 이끌어내 주셔야만 했다. 그 후에도 선택받은 백성은 안팎의 적을 제압해야 했다.

이스라엘이 이집트에서 노예 생활을 한 430여 년이라는 세월 동안 심지 깊은 사람들조차 이집트 문화에 동화되었다. 몸과 마음과 영혼 할 것 없이 이집트 문화의 영향은 극복되어야 할 문제였다. 하느님께서 특정한 짐승, 곧 이집트인들이 거룩하게 여기던 바로 그 짐승을 지칭하여 희생 제물로 바치라고 명하신 데는 그런 이유도 있었다. 이스라엘의 희생 제사는 이집트의 미신을 받아들임으로써 하느님께 충실하지 못했던 이전의 행실과 완전히 단절하는 것이었다. 몇백 년에 걸쳐 축적된 악습은 시련을 겪음으로써 근절될 수 있음을 하느님께서는 알고 계셨다. 그래서 이스라엘에 매우 엄격한 율법을 지키도록 명하셨다. 곧 식습관, 위생 문제, 성性 문제, 예배와 관련된 새로운 관습에 대해 세세하게 규정한 포괄적인 처방을 내리셨다.

이 새로운 삶의 방식은 이스라엘 백성이 적응하기에 쉽지 않았다. 사막 유랑생활은 몇백 년을 억압과 강제 노동에 시달리던 노예 시절보다도 훨씬 못한 것처럼 느껴졌다. 적어도 배는 곯지 않았던 노예 시절의 향수를 불러일으켰다. "누가 우리에게 고기를 먹여줄까? 우리가 이집트에서는 참 좋았는데… 우리가 어쩌자고 이집트를 떠났던가?" (민수 11,18.20)

## 수송아지 신상

이집트에서 벗어난 후, 불만의 신음소리는 뱃속에서만 난 것이 아니었다. 그들은 정력과 생식력의 신인 이집트의 금송아지 신상神像을 만들고, 그 앞에서 먹고 마시고 뛰놀았다.(탈출 32,1-6)

이스라엘이 상대하기에 가장 힘든 적은 바로 이스라엘 자신이었지만 그 외에도 적은 많았다. 약속된 땅을 차지하기 위한 도정에서 이스라엘은 자신들의 진입을 반대하는 막강한 일곱 나라를 상대해야 했다.

교부들은 이 모든 과정이 인간의 상황과 많이 닮았다고 보았다. 인간은 노예로 태어난다. 그래서 이스라엘이 이집트에서 노예생활을 하던 굴욕적인 기간을 원죄에 젖은 영혼의 예시론적 상징으로, 또한 홍해를 건넌 사건은 세례의 상징으로 본다.(1코린 10,1-4) 세례를 통해 하느님께서 원죄라는 노예 상태에서 우리를 해방시켜 주셨지만 여전히 좀처럼 사라지지 않는 탐욕의 후유증을 겪고 있다. 우리는 시련을 겪음으로써 악습을 버린다. 더구나 우리의 타락한 본성은 죄의 노예로 사는 삶에서 오는 감각적 즐거움을 끊임없이 갈망한다. 유배의 땅에서 벗어나려면 그러한 갈망, 곧 탐욕을 끊어야 한다. 죄인들이 흔히 우상으로 섬기는 피조물을 생활 속에서 희생 제물로 봉헌해야 한다.

유혹에 저항하기 위해서는 스스로를 단련해야 한다. 세상을 상대로, 탐욕을 상대로, 악마를 상대로 싸우기 위해서는 자신을 단련해야 한다. 교부들은 천국이라는 약속의 땅에 들어가려면 우리도 이스라엘처럼 일곱 가지 적을 무찔러야 한다고 지적했다. 일곱 가지 치명적인 죄는 교만 · 인색 · 음욕 · 탐욕 · 질투 · 분노 · 나태이다.

## 선진 문명의 강대국 바빌론

죄를 선택하는 인간의 현실을 상징하는 제2의 역사적 사건은 유다의 바빌론 유수幽囚다. 이 포로생활은 이집트의 노예생활에 비하면 매우 짧은 기간에 지나지 않지만 유다인들의 삶에 미친 악영향은 치명적이었다.

기원전 6세기에 이르러 이스라엘은 오랜 세월에 걸쳐 진행된 내부 분쟁으로 쇠퇴 · 분열했다. 바빌론의 왕 네부카드네자르는 힘들이지 않고 유다 땅을 정복하고 바빌론의 속국으로 만들었다. 네부카드네자르 왕은 유다의 왕족과 귀족들은 물론 지성인과 고급 인력을 바빌론으로 이주시켜 바빌론 왕국에 봉사하게 했다. 그들은 바빌론에서 70여 년간 열심히 일했으며 그 공에 대한 인정도 받고 보수도 받았다. 많은 유다인이 바빌론 여성과 결혼했다. 상인과 장인匠人들은 바빌론 동료에게 새로운 기술을 전수받았다. 포로생활을 하던 유다인들은 천문학 · 금융업 · 화폐 주조 기술 등에서 놀라운 발전을 이루었다.

선택된 백성은 포로생활을 하던 남의 땅에서 나날이 번영했다. 지나치게 적응을 잘한 것인지 아예 조국으로 귀환할 것을 포기한 사람들도 있었다. 바빌론의 언어 · 거리 · 방식에 이미 익숙해져 버린 것이다. 이집트에서처럼 그들은 율법 준수와 같이 종교적 계율을 지키는 데 느슨해지고 게을러졌으며, 바빌론의 방식을 받아들이기까지 했다. 그러나 이스라엘의 하느님을 잊지 않고 충실했던 이들은 포로생활에 안주하게 된다면 저주를 받으리라 다짐하며 힘겹게 자신들의 믿음을 지켜가야 했다.

예루살렘아, 내가 만일 너를 잊는다면
내 오른손이 말라버리리라.
내가 만일 너를 생각 않는다면
내가 만일 예루살렘을
내 가장 큰 기쁨 위에 두지 않는다면
내 혀가 입천장에 붙어버리리라.(시편 137,5-6)

하느님께 충실했던 이 시편의 화자話者는 정당한 위안조차 스스로에게 허락하지 않았으니 혹 그 위안으로 포로생활의 고통을 조금이라도 잊을까 두려웠기 때문이다. 그는 '바빌론 강 기슭 거기에'(137,1)라면 자신이 좋아하는 시온의 노래조차 부르기를 거부한다.

교부들은 이집트의 노예생활이 원죄를 상징한다면, 바빌론의 포로생활은 본죄를 상징한다고 해석했다. 이집트에서 노예로 태어나는 것과 유다 땅에서 어른이 된 이후 포로로 끌려가 이교도의 생활 방식에 스스로 안주하게 되는 것은 전혀 다르다는 말이다. 바빌론의 포로생활은 자신들의 선택에 의한 것이었고, 또한 그 선택에 의해 유지되었다. 이교도 땅에서 물질적 위안에 만족하게 되면서 그들은 고국에서 자유를 누리던 삶을 잊었다. 자신들이 누리는 번영과 안전과 위안을 포기하고 처음부터 다시 시작해야 할 조국의 삶과 예루살렘 재건이라는 힘겹고 위험부담이 따르는 과업을 맞바꿀 이유가 없었다.

탈세라는 부정을 저지르는 죄인이 무엇 때문에 자신의 선택을 포기하고 돌아서겠는가? 부정행위로 얻은 이윤에 만족하는데 말이다. 맛있는 먹을거리가 천지에 널렸는데 무엇 때문에 식탐에서 마음을 돌리겠는가? 상대를 제압할 수 있는데 무엇 때문에 분노나 앙심에서 마음을 돌리겠는가?

죄에 그대로 머물러 있는 편이 편할 수도 있다. 그러나 바빌론이 주는 위안에는 그만한 대가가 따른다. 곧 자유와 시민의 지위와 신앙의 유산이다.

## 복되어라?

“세상과 우애를 쌓는 것이 하느님과 적의를 쌓는 것임을 모릅니까? 누구든지 세상의 친구가 되려는 자는 하느님의 적이 되는 것입니다.”(야고 4,4)

그리스도인은 이 세상에서 타향살이를 하는 ‘유배자’라는 사실을 잊어서는 안 된다. 자신이 누구인지, 어디서 왔는지, 어디로 향하는지 잊어서는 안 된다. 땅에 발을 딛고 살되 본향을 그리워하며 살아야 한다.

그러므로 선택된 백성처럼 우리도 자신 안에 남아 있는 우상숭배를 ‘죽여야’ 한다. 바빌론의 포로처럼 우리도 죄스런 즐거움을 물리쳐야 할 뿐 아니라 어느 정도 정당한 즐거움도 자제해야 한다. 이 세상이 파놓은 함정으로 이끄는 미끼가 될 수 있기 때문이다. 우리가 하느님한테서 등 돌리는 이유는 세상 것에 매력을 느끼고 집착하기 때문이다.

이런 이유로 예수께서는 사도들에게 단식하라고 하셨고, 그분이 승천한 이후에도 사도들은 단식을 계속했다. 이 때문에 자기부정(극기)은 애초부터 참그리스도 정신의 특징이었으니 교회 전례력 중 사순 시기의 핵심으로 자리 잡게 되었다.

예수께서는 진복팔단에서 다음과 같이 말씀하셨다. “행복하여라, 가난한 사람들! 하느님의 나라가 너희 것이다. 행복하여라, 지금 굶주리는 사람들! 너희는 배부르게 될 것이다. 행복하여라,

지금 우는 사람들! 너희는 웃게 될 것이다. 사람들이 너희를 미워하면, 그리고 사람의 아들 때문에 너희를 쫓아내고 모욕하고 중상하면, 너희는 행복하다! 그날에 기뻐하고 뛰놀아라. 보라, 너희가 하늘에서 받을 상이 크다. 사실 그들의 조상들도 예언자들을 그렇게 대하였다."(루카 6,20-23) 예수님의 말씀으로는 이 모든 불행이 곧 기뻐할 이유가 된다.

이 말씀은 가히 충격적이다. 20세기라는 오랜 세월 동안 교회가 그리스도교 정신을 부르짖었건만 예수님의 말씀은 여전히 세속적 가치를 철저하게 뒤집는 급진적인 말씀으로 받아들여진다. 이집트에서 거룩하게 여기던 짐승을 번제물로 삼았던 것처럼 진복팔단은 '가치 기준의 전도轉倒'를 의미한다. 우리의 기대를 완전히 뒤집는다. 우리는 곤궁해지고 굶주리고 슬픔에 젖고 비방받는 것을 직감적으로 저주라고 생각한다. 그러나 예수께서는 이 모든 상황을 축복의 계기나 요소로 제시한다.

고난은 우리에게 이 세상의 좋은 것들에서 초연할 것을 가르친다. 세상에 매이지 않고 하늘의 좋은 것들에 마음을 두도록 말이다. 단식 · 철야 기도 · 순례와 같이 우리가 적극적으로 참여하는 고통이든, 치통 · 폭풍우 · 기차 연착과 같이 수동적으로 견뎌내는 고통이든 마찬가지다. 고통을 통해 우리는 사도 바오로의 말에 공감하고 동의할 수 있게 된다.

"나에게 이롭던 것들을, 나는 그리스도 때문에 모두 해로운 것으로 여기게 되었습니다. 그뿐만 아니라, 나의 주 그리스도 예수님을 아는 지식의 지고한 가치 때문에, 다른 모든 것을 해로운 것으로 여깁니다. 나는 그리스도 때문에 모든 것을 잃었지만 그것들을 쓰레기로 여깁니다."(필리 3,7-8)

창조된 모든 것은 하느님이 만드셨기 때문에 좋은 것이다. 그러나 우리에게 그렇게도 큰 즐거움을 주는 것들, 섹스 · 책 · 초콜릿 · 커피 · 포도주는 하느님에 비하면 쓰레기나 오물에 지나지 않는다.

## 회심

사물에 대한 집착에서 벗어나면 하느님의 도움으로 여러 가지 욕구를 통제할 수 있으며 그 결실을 하느님께 바쳐드린다. 자기 수양과 하느님의 은총은 탐욕에 휩쓸린 지성과 의지를 치유한다. 이때 비로소 사물과 세상을 명확하게 꿰뚫어 보는 능력이 생긴다.

이러한 힘을 기를수록 하느님께 등을 돌려 세상 것에 집착하는 일상 속의 다양한 유혹에 더욱 민감하게 대처할 수 있다. 그리스도와 오물 중 하나를 선택한다면 그 답은 두말할 필요가 없지 않겠는가.

모든 사물을 초연하게 바라보는 사람은 매우 드물다. 그러나 이것이 하느님께서 우리 각자에게 바라시는 바이다. 하느님께서는 진심으로 은총과 축복을 바라며 간청하는 사람에게 이를 허락하실 것이다.

고난과 죄의 갈림길에서 선택해야 할 때 아담이 그랬던 것처럼, 사막에서 이스라엘 백성이 그랬던 것처럼, 바빌론에서 유다인들이 그랬던 것처럼 우리도 시험에 직면하게 된다. 영원한 사랑에 앞서 순간적인 위안과 안정과 안전을 선택한다고 해도 하느님께서는 우리의 선택을 존중해 주실 것이다. 영원한 사랑을 위해 잠시의 고난을 선택한다면 우리의 본향인 하늘의 복된 삶에 한층 더 가까이 다가가게 되리라. 하느님의 품 안에서 하느님을 닮은 모습으로 성장하리라.

사람은 평소 습관대로 움직인다. 자신의 몸과 마음과 생각과 눈이 향한 곳으로 나아간다. 궁극적인 목적지에 도달하고자 한다면, 언젠가 본향에 다다르기를 바란다면 이 세상 것에 대한 집착에서 돌아서서 곧바로 하느님을 향해야 한다. 비스듬히 반만 돌아서는 것은 아무 소용이 없다. 방향이 다르기 때문이다. 자신이 집착하는 것에서 벗어나지 않는 한 회심은 완결되지 않는다.

## 산 제물

회심은 쉬운 일이 아니다. 제단에 희생 제물을 바치던 이스라엘 사람들을 기억하는가? 제 손으로 짐승을 째고 가르고 벗겨내고 도려내야 했다. 그런 다음 통회 내용이 담긴 시편을 노래해야 했다. 우리가 바칠 희생 제물은 그처럼 피비린내는 나지 않겠지만 그렇다고 결코 수월할 거라고 기대해서는 안 된다. 탐욕으로 왜곡되고 비뚤어진 자기 몸보다 송아지를 도축하는 편이 오히려 쉬울지 모른다. 그러나 그때나 지금이나 희생 제물을 드리는 데는 용기와 노력과 비용과 시간이 요구된다.

짐승을 희생 제물로 바치는 이스라엘의 속죄 행위는 앞으로 제정될 제사의 상징이요 예시였다. 그리스도께서 이 세상에 오셨을 때 다음과 같이 말씀하셨다. "당신께서는 제물과 예물을 원하지 않으시고 오히려 저에게 몸을 마련해 주셨습니다."(히브 10,5) 우리도 죄에 대한 희생 제물로 그리고 하느님을 향한 사랑 때문에 육신의 여러 가지 욕구와 우리에게 위안을 주는 것과 즐거움을 가져다주는 것을 바친다.

"하느님께 맞갖은 제물은 부서진 영. 부서지고 꺾인 마음을 하느님, 당신께서는 업신여기지 않으십니다."(시편 51,19) 이와 같이 진심으로 통회하며 최소한의 겸손으로 다가간다면 그 나머지는 하느님의 은총이 채워주실 것이다.

어디서부터 회심하는 것이 좋을지 알고 싶다면 가까운 고해소를 찾아가기만 하면 된다. 회심은 성사 밖에서도 가능하지만 쉬운 일은 아니다. 성사의 은총은 우리가 나아갈 길을 곧게 해준다.

# 10 마음을 끄는 회심의 비결

교회 문서 대부분은 고해성사를 참회 성사라 일컫는다. 고해성사를 지칭할 때 흔히 이 두 용어를 서로 바꾸어 가며 사용하기는 하지만 동의어는 아니다. 고백은 자기 죄를 발설하는 행위를 가리킨다. 참회가 가리키는 것은 마음 자세와 표출되는 행위 두 가지다. 이 책 전반부에서 고백의 의미를 살펴보았으니 이제 참회 의미에 대해 알아보겠다.

먼저 마음 자세로 간주되는 참회는 자기 죄에 대한 증오를 의미한다. 그러므로 참회는 성사 안에서 고백을 위한 필요조건이다. 죄인은 먼저 자기 죄에 대해 뉘우치는 마음이 있어야 한다. 곧 어느 정도 죄를 미워하는 마음이 있어야 한다.

## 죄에 대한 혐오

깊이 뉘우치며 참회할 때, 곧 죄를 범함으로써 사랑하올 하느님을 거역하였기에 자기 죄를 미워할 때 진심으로 통회하는 마음으로 죄를 고백하는 것이다. 하지만 대부분 자기 죄를 혐오하는 동기가 복합적이다. 말하자면 특정한 죄를 지은 것에 대한 수치심 때문에, 그 죄로 말미암아 자존심에 상처를 입었기 때문에, 하느님께 벌을 받을 것이 두렵기 때문에, 몸이나 마음에 또는 재정적이든 인간관계든 나쁜 결과가 생겼기 때문에 자기 죄를 혐오한다. 죄에 대한 이와 같은 불완전한 혐오를 '불완전한 통회'라고 한다. 더욱 완전한 참회를 위해 노력해야겠지만 불완전한 통회로도 고백은 유효하다.

참회하는 자세가 몸에 배어 있을 때 우리는 그 참회를 미덕이라고 일컫는다. 이 미덕은 그리스도인의 삶에서 빼놓을 수 없는 것으로, 우리는 이러한 은총을 구하기 위해 마땅히 기도해야 한다. 그뿐 아니라 참회 행위를 통해 참회의 미덕 안에서 성장하도록 노력해야 한다. 이는 친절 · 용기 · 성실함에서 비롯된 수많은 작은 행위를 반복 · 실천함으로써 인자함과 용기와 근면성실함의 미덕 안에서 성장하는 것과 같은 이치다. 그와 같이 노력한다면 참회의 미덕은 일상생활 속에서 고해성사를 위한 자연적이고 초자연적 습성이 된다.

그런데 참회 행위는 성사 안에서 고백에만 한정되는 것은 아니다. 참회 행위에는 자기 죄나 다른 이들의 죄를 보상하기 위한 자기 부정 행위도 포함된다. 앞에서 단식과 기도와 순례를 언급한 바 있지만 이는 자기 부정 행위의 일부에 지나지 않는다. 참회의 미덕을 갖춘 그리스도인은 언제나 다른 이를 위해 희생할 마음 자세가 되어 있다. 그 희생이란 눈에 띄지 않는 평범한 행위다. 예를 들면 다른 사람의 편의나 즐거움이나 위안을 위해 불편을 감수하는 것이다.

운동 경기를 보고 싶지만 동료가 영화 구경을 하고 싶어한다면 기꺼이 영화를 보러 가자고 말할 수도 있다. 맛있는 떡을 한 개 더 먹고 싶지만 옆에 있는 사람을 위해 더 먹지 않고 꾹 참을 수도 있다. 반대로 반찬이 맛이 없어도 초보 주부의 기를 꺾지 않기 위해 한 젓가락 더 달라고 할 수도 있다.

지루하고 짜증나는 동료이고 이웃이지만 못 본 체하지 않고 말상대가 되어줄 수도 있다. 이때 핑계를 대고 당장 그 자리를 벗어나는 대신 상대에게 진지한 관심을 기울이는 것도 미덕이다. 직장 상사가 요구한 서류를 다시 작성하느니 차라리 치주염을 앓는 편이 낫겠다는 생각이 들어도 꼼꼼하고 신속하게 그 일을 완수할 수도 있다.

가장 훌륭한 참회 행위는 너무도 평범해 아무도 알아채지 못하고 그냥 넘어간다. 그렇게 하루하루를 채워나가는 것이 그리스도인한테는 행복이다.

## 고통스런 진실

오늘날 많은 이들이, 심지어 일부 그리스도인들조차 자기 부정에 대해 오해하고 있기 때문에 이 문제를 반드시 짚고 넘어가야 한다. 그들은 그리스도인의 자기 부정을 심리적으로 문제가 있고 세상을 증오하며 기쁨을 모르고 음침하며 자학적인 것으로 치부한다. 하지만 이러한 특질은 그리스도인의 자기 부정의 원인도 결과도 아니다.

먼저 분명히 해야 할 것은 적극적인 자기 부정이 그리스도인의 믿음에 본질적이라는 점이다. 예수께서 말씀하셨다. "누구든지 내 뒤를 따라오려면, 자신을 버리고 제 십자가를 지고 나를 따라야 한다."(마태 16,24) "누구든지 제 십자가를 짊어지고 내 뒤를 따라오지 않는 사람은 내 제자가 될 수 없다."(루카 14,27) 자기 부정은 선택 사항이 아니다. 인간에게는 제 입맛에 맞는 다른 구원의 길은 없다.

다음으로 분명히 해야 할 것은 자기 부정은 세상에서 누릴 수 있는 좋은 것들에 대한 부정이 아니라는 것이다. 그리스도인이 세상의 좋은 것을 희생하는 이유는 세상이 악하여 그 좋은 것을 죽여야 한다고 생각하기 때문이 아니라 오히려 세상이 매우 좋다는 것을 알기 때문이다. 너무 좋은 나머지 그것에 마음을 빼앗겨 더 좋은 것을 보지 못해 본향인 아버지 하느님께 가는 길을 벗어날 수도 있다.

이스라엘 백성처럼 우리도 이집트로 되돌아가기를 바라거나 바빌론에서 흥청망청 살고 싶어할 수도 있다. 고해성사를 보거나 미사에 참석하거나 양로원에 있는 할머니께 문안드리러 가는 대신 이런저런 놀이를 하며 느슨하게 살고 싶어할 수도 있다. 다시 한 번 말하지만 죄란 '선한' 마음 대신 '악한' 일을 선택함으로써 발생하는 문제가 아니다. 죄란 더 선한 것 또는 덜 선한 것을 선호하는 데서 발생하는 문제다.

마지막으로 고통 자체는 아무 가치가 없다는 점을 강조하고 싶다. 그리스도인은 고통을 달가워하지 않는다. 그러나 우리는 그리스도께서 보이신 모범을 따라 고통 안에서 축복과 은총을 깨닫고 경험한다.

## 우상

초대교회 그리스도인들은 참회하고 자신을 버리라는 예수님의 권고를 그대로 따랐다. 사도 바오로의 고백을 보더라도 알 수 있다. "그리스도 예수님께 속한 이들은 자기 육을 그 욕정과 욕망과 함께 십자가에 못 박았습니다."(갈라 5,24)

이 성경 구절이 너무 영적이고 비유적이라 시큰둥해하는 독자가 있다면 사도 바오로가 구체적으로 진술한 부분을 인용해 보자. 예를 들면 그는 일상 속의 사소한 불편함에서 가장 지독한 고문에 이르기까지 자신에게 닥친 온갖 고난을 기꺼이 받아들였다.

"나는 수고도 더 많이 하였고 옥살이도 더 많이 하였으며, 매질도 더 지독하게 당하였고 죽을 고비도 자주 넘겼습니다. 마흔에서 하나를 뺀 매를 유다인들에게 다섯 차례나 맞았습니다. 그리고 채찍으로 맞은 것이 세 번, 돌질을 당한 것이 한 번, 파선을 당한 것이 세 번입니다. 밤낮 하루를 꼬박 깊은 바다에서 떠다니기도 하였습니다. 자주 여행하는 동안에 늘 강물의 위험, 강도의 위험, 동족에게서 오는 위험, 이민족에게서 오는 위험, 고을에서 겪는 위험, 광야에서 겪는 위험, 바다에서 겪는 위험, 거짓 형제들 사이에서 겪는 위험이 뒤따랐습니다. 수고와 고생, 잦은 밤샘, 굶주림과 목마름, 잦은 결식, 추위와 헐벗음에 시달렸습니다."(2코린 11,23-27)

사도 바오로는 이 모든 고난을 참회의 정신으로 받아들였다. 그러나 거기에서 그친 것이 아니었다. 그는 더 혹독한 고통을 스스로에게 가함으로써 자기 수양에 힘썼다. "나는… 허공을 치는 것처럼 권투를 하지 않습니다. 나는 내 몸을 단련하여 복종시킵니다. 다른 이들에게 복음을 선포하고 나서, 나 자신이 실격자가 되지 않으려는 것입니다."(1코린 9,26-27)

사도 바오로는 살고 싶은 대로 살지도 않았고 안락한 생활을 하지도 않았다. 오히려 그 반대였다. 그는 몸이 마음과 영혼과 이성의 철저한 통제를 받아야 한다는 것과 그것이 쉬운 일이 아님을 잘 알고 있었다. 엄정한 결의와 결단력이 요구되는 데 대해 그는 강한 어조로 말했다. "여러분이 육에 따라 살면 죽을 것입니다. 그러나 성령의 힘으로 몸의 행실을 죽이면 살 것입니다."(로마 8,13) 라틴어본과 초기 영역본 성경에는 '죽이면'이라는 충격적인 어구가 몸의 속죄와 동의어인 '금욕'으로 번역되었다.

"여러분 안에 있는 현세적인 것들, 곧 불륜, 더러움, 욕정, 나쁜 욕망, 탐욕을 죽이십시오. 탐욕은 우상숭배입니다. 이것들 때문에 하느님의 진노가 순종하지 않는 자들에게 내립니다."(콜로 3,5-6)

자기 부정, 곧 금욕과 참회는 하느님의 사랑과 영원한 생명에 참여하는 데 방해가 되는 것들을 물리친다. 우리 생활 속에 존재하는 우상을 부수어 버림으로써 어떤 것도 하느님을 향한 마음을 흩뜨리지 못하도록 한다.

## 식이요법은 단식이 아니다

이스라엘 백성의 경험에 비추어 생각해 보자. 이집트에서 보낸 노예생활을 청산하기 위해 그들은 이집트인들이 거룩하게 여기던 짐승을 희생 제물로 바치는 이른바 '가치 기준의 전도轉倒'를 경험해야 했다. 선택된 백성은 한때 자신들을 포로로 잡아두던 우상을 '죽여야' 했다.

하느님 앞에서 참회할 때 우리도 가치 기준의 전도와 유사한 것을 경험한다. 우리의 마음을 현혹시키던 욕망을 '죽이는' 것이다. 무엇이 우리의 정신을 끊임없이 빼앗는 것일까?

스스로 포로가 되거나 집착하는 것은 무엇이나 우상이며 희생을 요구한다. 우상도 야훼 하느님처럼 질투하는 신이므로 우리에게 '죽이기'를 요구한다. 오늘날의 우상을 한번 생각해 보라. 많은 사람이 일을 위해 건강과 시간과 가족을 희생시킨다. 많은 이가 혼외정사를 위해 평판과 건강과 결혼생활, 심지어 인생까지 망치려 한다. 또한 식탐으로 기꺼이 수명을 단축시킨다.

우리는 우상이 삶을 어떻게 지배하고 무엇을 요구할 것인지 알고 있다. 이 우상에 대해 조치를 취해야 한다는 것도 알고 있다. 우리 몸은 필요한 것보다 더 많은 것을 원하므로 몸이 원하는 것보다 절제해야 한다는 그리스도교의 옛 격언만큼 자명한 진리도 없으리라.

우리에게 식이요법이 필요하다는 사실을 모르는 사람은 없다. 직장에서 보내는 시간을 줄이고 가정에서 보내는 시간을 늘려야 한다. 섹스에 몰두하는 경향을 자제해야 한다. 그 밖에도 여러 가지가 있다.

그러나 이러한 자연적 해결 방법으로는 부족하다. 우리한테는 우상을 파괴한 자연적인 도구를 다시 우상화하려는 어리석은 경향이 있기 때문이다. 우리는 대중 매체를 통해 알코올 중독을 치유한 사람이나 금연에 성공한 사람이나 비만이었던 사람이나 호색한이었던 사람이 최근 유행하는 식이요법이나 자신을 '구원'했다는 12단계 치유 프로그램을 찬양하는 광신적인 열성분자로 변한 모습을 흔히 볼 수 있다.

우리는 그런 함정에 빠져서는 안 된다. 그렇기 때문에 우리의 자기 부정 행위를 초자연적으로 승화시켜야 한다. 다시 말해 깊이 참회함으로써 우리를 구원하시는 하느님께 봉헌해야 한다. 우상은 헌신으로 대체되어야 하며, 우리의 헌신은 내적 참회와 참회 행위로 정화되어야 한다.

## 큰 그림

중요한 열쇠는 맥락이나 배경이다. 전체적인 큰 그림을 보지 못한다면 우리의 희생은 무의미하고 왜곡될 것이다. 우리가 하느님께 드리는 희생은 '관계', 곧 개인적 관계, 사랑의 관계, 가족 관계, 계약 관계다.

가족 구성원이 서로를 위해 희생하는 모습은 이상할 것이 없다. 부모의 삶은 희생으로 규정된다. 아빠는 자녀에 대한 사랑을 방해하는 것을 죽인다. 엄마는 자녀를 행복하고 지혜롭고 건강한 아이로 키우기 위해 초조하고 울화가 치밀고 편하게 살고 싶은 마음과 하고 싶은 것들을 죽인다. 시간이 지나면서 아이는 건강한 가족생활을 위해 똥오줌 가리기, 잠자는 시간 지키기, 군것질하지 않기와 같은 육체적인 욕구나 충동을 참을 줄 알게 된다. 이렇게 자란 아이는 나중에 노환으로 불편한 부모에게 시간을 내어 관심을 기울이는 보호자가 된다.

사랑은 사랑하는 사람을 위해 희생할 것을 요구한다. 한 여성에게 홀딱 반한 남성은 연애편지를 쓰느라 밤을 새는 일도 마다하지 않는다. 영하의 날씨에 손이 시려운 애인을 위해 기꺼이 장갑을 벗어준다. 여성이 입고 있는 스웨터나 향수가 마음에 들지 않는다고 하면 옷장 깊숙이 넣어 버리거나 쓰레기통에 던져버린다. 사랑에 빠진 남성은 자기도 모르게 그녀의 기분을 언짢게 했다는 것을 알게 되면 그것을 만회하기 위해 노력한다. 용서를 구하는 편지를 1분이라도 늦을세라 노심초사하며 빠른 우편으로 부친다.

이러한 사례는 사람들이 사랑을 위해 자발적으로 하는 자연스런 자기 부정 행위다. 사랑에 빠진 사람한테는 희생이 그리 어려운 일이 아니며, 기꺼이 고통을 짊어진다. 방해가 되는 것은 무엇이든 버릴 수 있다.

여기서 우리는 희생과 자기 부정과 참회가 이상하거나 예외적 행위가 아니라 자연적 현상임을 알 수 있다. 사람은 눈에 보이는 목표를 위해 희생할 각오가 되어 있다. 나아가 우리는 보이지 않는 사랑을 위해 희생하며, 하느님을 거스르도록 부추기는 죄와 유혹과 탐욕을 죽이는 법을 터득해야 한다.

## 하늘에서와 같이 땅에서도

희생은 소극적인 것이 아니다. 희생은 '죽임'이 아니라 '증여'이다. 우리의 작은 희생은 사랑의 본질인 자기 증여를 상징한다.

사랑에 빠진 사람은 자신을 전적으로 내어 준다.

인간의 사랑은 인간성과 '성삼위의 결합 사이에 어떤 유사함이 있음'을 보여준다. 사랑 안에서 자신을 내어 줄 때 우리는 하느님을 본받는다. 하느님은 사랑이시며(1요한 4,16) 사랑의 본질은 생명을 내어 주는 것이기 때문이다.

성삼위의 내적 생활에 대해 생각해 보자. 성부는 모든 것을 아들에게 쏟아 부으신다. 그분은 신성을 아깝게 여기지 않으신다. 생명까지 남김없이 내어 주신다. 그분은 끊임없이 아버지로서 아들을 사랑하신다. 무엇보다도 성부는 생명을 내어 주시는 분이며 성자는 그분의 완전한 모상이다. 그러니 성자 역시 생명을 온전히 내어 주시는 분일 수밖에 없지 않겠는가? 성자는 영원토록 성부를 드러냄으로써 성부께 받은 생명을 감사와 사랑의 완전한 표현으로 성부께 되돌려 드린다. 아들이 아버지께 받아 되돌려 드리는 사랑과 생명이 곧 성령이시다.

하느님은 예수 그리스도 안에서 사람이 되셨다. 이 땅에서 보내신 그분의 삶은 영원히 거룩한 천상의 삶을 드러냈다. 예수님의 삶은 30여 년에 걸친 완전한 자기 증여였다. 그분이 행하신 모든 것, 곧 용서 · 치유 · 가르침 · 설교는 초월적인 사랑의 실현이었다.

하느님의 사랑만이 유일하게 우리를 충족시킬 수 있다. 인간의 사랑은 나약함과 불완전함과 죽음으로 말미암아 충족시키지 못한다. 인간의 사랑과 그 사랑이 가져다주는 유한한 행복은 조물주 하느님의 사랑을 암시하는 데 지나지 않는다. 우리는 하느님처럼 사랑하기 전에는, 곧 하느님의 본성에 참여하기 전에는(2베드 1,4), 신으로서(시편 82,6; 요한 10,34) 사랑하기 전에는 사랑을 알지 못하며 행복하지도 않을 것이다. 교회는 인간이란 '자신을 참된 선물로 내놓지 않고는 자기 자신을 온전히 발견할 수 없는' 존재라고 가르친다.

이러한 맥락에서 참회를 바라보면 그 참의미를 알 수 있다. 희생 없는 사랑은 상상할 수도 없다. 탐욕에서 비롯되는 모든 것을 죽일 때 우리는 다른 사람을 진정 사랑할 수 있다.

고대 계약이 희생 제물을 요구한 것도 이런 이유에서다. 계약은 가족의 유대를 형성했으며, 희생 제물은 단절된 유대를 상징한다. 계약은 또한 전적인 자기 증여를 상징하기도 했다. 자기 증여 없이는 사랑의 유대도 가족의 유대도 불가능하다.

## 하느님의 사랑을 가로막는 것

사랑 없는 참회는 병적으로, 세상을 증오하는 마음으로, 기쁨을 모르는 생활로, 음침하거나 자학적인 삶으로 왜곡된다. 사실 이러한 참회는 진정한 참회가 아니다.

무엇이 참회가 아닌지 마음을 쓰며 잊지 않으려 애쓴다면 참회가 무엇인지 분명히 알 수 있다. 참회는 고통을 자처하는 것이 아니다. 참회는 가학적인 하느님이나 권위적인 교회가 인간에게 지우는 고약한 벌이나 짐이 아니다.

참회란 하느님의 사랑을 방해하거나 하느님을 사랑하는 데 방해가 되는 장애를 기꺼이 제거하는 것이다. 참회란 매순간 하느님께 우리의 온 존재를 봉헌하는 삶의 출발점이다.

하느님과 달리 인간은 하느님께 대한 온전한 자기 증여 과정을 평생 동안 거친다. 하느님께 드리는 참회 행위와 고해성사와 작은 희생은 창조된 본래 모습에 순응하게 하며 그로써 우리의 삶은 성삼위의 신묘한 삶을 본받는다. 어느 정도 자제와 극기라는 방법으로 이에 도달한다고 하지만 전체적으로는 하느님의 은총에 응답하는 삶을 통해 비로소 도달할 수 있다.

자기 부정은 탐욕을 치유하는 효과가 있다. 자기 부정은 방종에서 비롯된 행위를 상쇄함으로써 치유한다. 죄를 짓게 하거나 의지를 약화시키는 방종 행위를 교정하는 치료제인 셈이다.

고해성사를 통해 받는 보속도 같은 원리다. 보속은 여러 날 단식하는 것보다 효과적이다. 성사를 통해 그리스도께서 베푸시는 은총이 더해지기 때문이다. 보속이 유일한 참회 행위가 되어서는 안 되겠지만 어쨌든 분명한 것은 가장 확실한 참회 행위라는 사실이다. 바로 그 목적으로 그리스도께서 친히 세우신 성사이기 때문이다.

고해성사는 참회 행위다. 참회의 삶이라는 맥락 안에서 내적 참회를 통해 행해질 때 고해성사는 가장 훌륭한 성사가 된다.

# 11 효율적인 고해자의 습관

참회가 삶의 방식이라면 어떻게 하면 일상 속에서 참회의 성사인 고해성사를 살 수 있을까?

고해성사는 삶에서 가장 중요한 역할을 한다. 고해성사는 참회를 위한 모든 희생 행위의 정점이며, 수백 · 수천 배 탁월하다. 고해성사는 하느님의 영원한 생명에 참여하는 초자연적 삶을 위한 계약의 유대를 회복하고 새롭게 하기 위해 하느님께서 마련하신 수단이기 때문이다. 고해성사를 통한 죄의 용서는 세상의 창조와 같은 하느님의 섭리다. 더구나 우리가 행하는 여타의 자발적 참회 행위와 달리 고해성사는 고해신부나 고해자의 노력과 상관없이 오직 그리스도에 의해 작용한다. 이러한 의미에서 교회는 다음과 같이 단언한다. 성사는 '사효적으로(ex opere operato: 성사 거행 그 자체로)' 효력을 가진다는 것이다.(「교리서」 1128항)

성경의 세계관에 충실한 삶을 살려면 진지하게 준비된 고해성사, 기도생활과 밀접하게 통합된 고해성사를 자주 보아야만 한다. 그렇지 않으면 이와 같은 삶을 영위할 수 없다.

## 하루아침에 이루어지지 않는다

교회는 적어도 1년에 한 번은 고해성사를 보라고 강조한다. 지난 1년을 돌아보고 심각한 죄가 있다면 무엇이든 고백하라는 권유다. 이것이 부활 판공성사인데, 많은 천주교 신자가 부활 기간 동안 합당하게 성체를 모시기 위해 이 의무를 이행해 왔다.

그러나 성인들의 삶을 살펴보면 자주 고해성사를 보는 것이 일반적이었음을 확인할 수 있다. 적어도 한 달에 한 번이었다. 최근에 와서 일주일에 한 번씩 고해성사를 보려고 노력하는 신자들이 점점 증가하고 있다. 70, 80년 전만 하더라도 매주 고해성사를 보는 것이 일반적이었다. 토요일마다 대부분의 본당에는 남녀노소 할 것 없이 많은 신자가 고해성사를 보기 위해 길게 줄을 서 있었다. 이와 반대되는 추세로 변화하게 된 이유는 분명치 않지만 죄를 짓는 천주교 신자 수가 그만큼 줄어들었기 때문은 아닐 것이다.

매주 또는 매달 고해성사를 보는 데는 그만한 이유가 있다. 먼저 1년에 한 번 성사를 보는 것보다 성사보기가 쉽다는 것이다. 어리둥절해하는 사람들이 있겠지만 사실이 그렇다. 고해성사를 자주 볼수록 그만큼 익숙해진다. 테니스에서 서브할 때처럼 말이다. 연습할수록 서브하기가 쉬워지고 부드러워진다.

성사를 자주 보면 성사보기가 그만큼 쉬워지는 또 다른 이유는 시간적 간격이 짧기 때문이다. 의로운 사람이 하루에 일곱 번 잘못을 저지른다면, 1년에 한 번 죄를 고백할 경우에는 적어도 2,555번, 윤년에는 2,562번에 달하는 죄를 가려내야 한다. 일주일에 한 번이나 한 달에 한 번이라면 죄를 가려내기가 훨씬 수월할 뿐 아니라 더욱 진실하고 완전한 고백이 가능하다.

고해성사를 자주 보면 그리스도인으로서 갖추어야 할 미덕을 굳건하게 쌓아나갈 수 있으며, 되풀이해 짓는 죄를 철저하게 정복할 수 있다. 영적 성장도 몸 만들기처럼 하루아침에 되지 않는다. 하루만에 8킬로그램을 줄이고 싶고, 일주일만에 근력을 세 배 정도 키우고 싶듯이 누구나 하룻밤 사이에 자신의 악습을 버리고 싶어할 것이다. 그러나 성격의 변화는 신체 변화와 마찬가지로 한 주나 한 달 사이에 가능하지 않다. 몇 년이나 몇십 년 노력 끝에 그 차이를 식별하게 된다. 그러려면 수련이 필요하며 오랜 세월에 걸쳐 꾸준히 정진해야 한다.

사람들이 흔히 좌절하는 이유는 고백할 때마다 같은 죄를 되풀이해 고백하기 때문이다. 물론 하느님께 면목이 없고 창피할 수 있다. 하지만 그나마 다행이라고 생각하자. 예를 들어 습관적인 죄에 새로운 죄를 자꾸 더하는 것보다는 낫지 않은가! 점점 더 나아지지 않는다 하더라도 더 나빠지지 않는다는 것은 확인할 수 있지 않겠는가. 고해성사 보기를 중단한다면 점점 더 나빠질

공산이 크다. 같은 죄를 되풀이해 고백하는 것은 창피한 일이다. 부정하지 않겠다. 하지만 창피함은 그리스도인에게 그리 큰 흠이 되지 않는다. 창피함도 느낄 줄 알아야 겸손하지 않겠는가. 겸손은 죄의 근원인 자만을 뿌리째 뽑아내므로 사실 그리스도인에게는 유익한 일이다. 하느님은 겸손을 사랑스럽게 여기시고 잘난 체하는 이들을 좋게 보지 않으시기 때문이다. 그들이 옳을 때라도 말이다.

가끔 좌절감을 느끼더라도 오랜 세월에 걸쳐 꾸준히 생활화해야 한다. 어느 정도 세월이 흐른 뒤에 사람들은 자신이 10년 전에 범한 죄와 똑같은 죄를 되풀이해 고백하지 않는다는 사실을 깨닫게 될 것이다. 하느님의 은총과 우리의 노력으로 어떤 한 부분에서 진보하게 되면 부족한 다른 부분이 드러나게 된다. 인내심을 가지고 견뎌 내면 우리는 언젠가 저 높은 곳으로, 하느님이 계신 곳으로 나아갈 수 있을 것이다.

마지막으로 고해성사를 자주 보아야 하는 또 다른 이유는 사도 바오로가 코린토인들에게 경고한 내용 때문이다. "부당하게 주님의 빵을 먹거나 그분의 잔을 마시는 자는 주님의 몸과 피에 죄를 짓게 됩니다…. 그래서 여러분 가운데에 몸이 약한 사람과 병든 사람이 많고…".(1코린 11,27.30) 자신은 죄가 없다고 하는 사람은 거짓말쟁이다. 죄를 짓고도 고백하지 않는다면 무례한 사람이다. 주일에 거룩하신 분을 우리 영혼에 모시려 한다면 토요일에 적어도 영적인 청소 정도는 해야 하지 않겠는가. 데이트 상대나 직장 상사 또는 고위 성직자를 저녁 식사에 초대한다면 집 안을 청소하지 않겠는가.

예수께서도 아들의 혼인 잔치에 비천한 사람들을 많이 초대한 어떤 임금에 관한 비유를 들어 말씀하신 바 있다.(마태 22,1-14) '악한 자들이나 선한 자들이나' 모두 참석했지만 그중 오직 혼인 잔치 예복을 갖추어 입지 않은 채 들어온 한 사람만 쫓겨났다. 이 비유의 의미는 명확하다. 아버지 하느님께서 자비를 베푸시어 우리 모두를 성찬에 초대하신다. 성찬이란 곧 당신의 외아들(어린양)과 교회(신부)의 혼인 만찬이다.(묵시 19,9; 21,9-10 참조)

그러니 그 만찬에 걸맞게 준비해야 한다. 그렇게 하지 않는다면 배은망덕과 뻔뻔함을 증명하는 표지가 된다. 그 결과에 대해서는 예수께서도 사도 바오로 못지않게 엄정하게 묘사하신다. "그러자 임금이 하인들에게 말하였다. '이자의 손과 발을 묶어서 바깥 어둠 속으로 내던져 버려라. 거기에서 울며 이를 갈 것이다.'"

## 고해사제 찾기

고해성사는 자주 보아야 할 뿐 아니라 그 내용상 계획해서 실천하는 것이 좋다. 죄를 극복하고 미덕을 쌓기 위한 목표를 세우고 거기에 도달하도록 해야 한다. 이것은 고해사제와 지속적인 관계를 유지함으로써 쉽게 이룰 수 있다.

나를 잘 알고 있는 고해사제는 나와 천국 사이를 가로막는 장애물에 대해 나보다 더 정확하게 알고 있다. 고해 전담 신부는 현재 나의 생활이 어떤지, 내가 어떤 유혹에 약한지, 나의 장단점은 무엇인지 알게 될 것이다. 그렇기 때문에 그는 나의 삶과 영혼 상태를 살피면서 나만의 행동 방식이나 독특한 경향을 집어낼 수 있다. 그는 내가 자주 범하는 죄의 뿌리를 추적해 낼 수도 있다.

그리고 나의 상태를 향상시킬 수 있는 최선의 방법을 조언해 줄 수 있다. 그는 나의 영적 투쟁을 위해 구체적으로 기도해 줄 수 있으며, 이는 내 삶에 무시할 수 없는 힘이 된다. 고해 전담 신부는 한 가정의 주치의처럼 오랜 시간에 걸쳐 나의 습관, 생활, 직장의 근무 환경, 내 영혼의 깊은 상처를 파악한다.

내게 맞는 고해 전담 사제를 찾는 데는 시간과 노력이 요구될지도 모른다. 이 사람 저 사람에게 문의도 해보고 여러 고해실을 들락거려야 한다. 그러다 보면 자신에게 맞는 고해사제를 찾게 될 것이다. 하지만 제 입맛에 맞는 고해사제를 찾아다니는 것은 바람직하지 않다. 자기가 고백하는 죄가 죄가 되지 않는다고 이야기해 주는 사제를 찾을 때까지 고해실을 순례하는 사람도 있다.

언젠가 필자의 친구가 지적했던 것처럼 그런 식으로 고해실을 순례하는 이들은 다른 고해사제를 찾아다니는 것이 아니라 자신의 도덕관념에 동조해 줄 신을 찾아다니는 셈이다. 이것이 가장 치명적인 소비주의다. 마치 혈액 검사 결과에 대해 거짓말을 해

줄 의사를 찾을 때까지 이 병원 저 병원을 기웃거리는 것과 같다. 그런 의사를 찾게 되면 잠시 안심이 되고 기분이 좋아질지 모르나 그 때문에 죽을 수도 있다. 백번 옳은 이야기다. 다른 신을 찾아 쇼핑하는 이들을 죽게 하는 것은 스스로 자초한 영적 죽음, 곧 대죄이다.

자신의 고해 전담 사제에게 전문적인 영적 지도를 청하는 편이 좋은지, 아니면 더 세부적인 지도는 별도의 영적 지도자에게 의뢰하는 편이 좋은지에 대해 논란이 많다. 여기서 이 문제를 논의하는 것은 적합하지 않다. 다만 유의사항 두 가지만 언급하고 넘어가겠다. 첫째, 성장하기 위해서는 지속적인 지도가 반드시 필요하다는 것이다. 옛말에 중이 제 머리 못 깎는다는 말은 옳다. 누구나 영적 지도자는 반드시 필요하다. 둘째, 충실하고 의욕적인 고해사제를 찾기가 어렵다는 사람은 영적 지도자가 되어줄 충실하고 의욕적인 사제도 찾지 못할 것이다.

## 철저한 준비

고해실과 시간, 고해사제를 정했다 하더라도 준비할 것이 있다. 진심으로 깊이 뉘우치는 완전한 고해성사가 되기 위해서는 자기 죄를 낱낱이 알아내야만 한다.

그 작업을 위해 도움이 되는 좋은 습관이 바로 양심 성찰이다. 나의 생각과 말과 행실과 태만에 관한 정기적인 반성이다. 내가 지은 죄를 알아내고, 나의 행실과 유혹에 넘어갔던 경험을 통해 그 뿌리를 알기 위해 기억을 탐색하는 일이다. 양심 성찰은 진전했는지 퇴보했는지를 깨닫게 하며, 환상이나 착각과 같은 가상이 아닌 실생활에 집중하도록 도와준다. 정직한 자기 탐색이 없으면 내가 저지른 죄와 하느님과 이웃에 신실하지 못했던 자신에 대한 반성은커녕 변명만 늘어놓게 된다. 그것이 아니라면 애써 다른 곳으로 눈을 돌리기 쉽다.

양심 성찰은 적어도 하루에 한 번은 하도록 노력해야 한다. 비타민 섭취나 운동 계획 또는 식이요법이나 장부 정리처럼 매일 하지 않으면 실패한다. 영성가들은 잠자리에 들기 전에 양심 성찰하는 것이 가장 바람직하다고 했다. 그 시간에 하루를 되돌아볼 수 있기 때문이다. 그런데 교황 요한 23세는 두 번의 양심 성찰을 추천한 바 있다. 정오에 한 번 성찰함으로써 아직 하루의 시간이 많이 남은 시점에 행실의 방향을 수정할 수 있도록 말이다. 양심 성찰 때마다 나의 관심 · 갈등 · 죄 등에 대해 간략한 메모를 남기는 것도 도움이 된다. 이것은 특히 고해성사를 준비할 때 큰 도움이 된다.

양심 성찰하는 데 몇 가지 방법이 있다. 가장 간단한 방법은 아침에 눈을 뜨고 나서 양심 성찰하기 전까지 하루를 순서대로 성찰하는 것이다. 사람들이 선호하는 또 다른 방법은 오늘 하루 십계명을 얼마나 잘 지켰는지 반성하는 것이다. 성찰을 돕기 위한 질문을 수록한 기도서도 있다. 어떤 사람들은 개인적인 잘못을 통해 또는 직장 동료나 친구, 가족 구성원의 불평이나 선의의 제안 등을 바탕으로 자기만의 질문 목록을 만들기도 한다.

잠들기 전에 하는 양심 성찰은 5분 정도로 짧게 하고 통회기도로 마무리하는 것이 바람직하다. 그러나 고해성사를 준비하기 위해서는 기도하는 마음으로 좀 더 많은 시간을 할애해 자신의 죄에 대해 충분히 숙고해야 한다.

교회 전승에 따르면 양심 성찰은 두 단계, 곧 일반 성찰과 개별 성찰로 나누어 하는 것이 바람직하다. 일반 성찰은 방금 설명한 대로다. 하루 일과를 돌아보고 반성하는 것이다. 개별 성찰은 특정한 미덕을 얼마나 잘 실천하고 있는가, 특정한 죄를 얼마나 잘 극복하고 있는가에 초점을 맞추는 것이다. 어떤 사람들은 개별 성찰은 정오에, 일반 성찰은 저녁에 하기도 한다.

양심 성찰하는 데 가장 좋은 시간과 장소와 방법은 무엇일까? 그 답은 당신의 영적 지도자의 조언을 참고해서 스스로 찾아야 한다. 어떤 것이 맞는지 시험해 보라. 그러나 중요한 것은 무엇보다도 실천이다.

고해성사 준비를 철저하게 하면 많은 것을 얻을 수 있다. 고해성사는 그 자체가 은총이지만 어떻게 받아들이는가는 각자에게 달려 있다. 성사는 주술이 아니다. 하느님께서는 우리의 참여와 협력 없이는 성화 은총을 베풀지 않으신다. 그리스도께서는 양껏 베푸시지만 우리는 준비된 만큼만, 받을 수 있는 만큼만 받게 된다. 마음을 다해 철저히 성사를 준비하면 영혼의 문이 열려 그리스도께서 베푸시는 은총을 그만큼 더 받을 수 있다.

### 고해실로 가라!

참으로 죄를 뉘우치고 회개하는 사람의 가장 효과적인 습관은 고해성사를 자주 보는 것이다. 그런 사람들은 성사를 자주 보고 정성을 다해 성사를 준비한다. 가톨릭으로 개종한 도로시 데이는 고백하는 사람, 곧 참회자의 입장에서 다음과 같이 말한다.

> 고해성사를 보는 일은 어렵다. 고백할 죄가 있어도 어렵고, 고백할 죄가 없어도 어렵다. 자비 · 관용 · 순결을 거스른 죄와 험담한 죄, 나태 또는 식탐의 죄에서 시작해 머리를 짜낸다. 자신의 결점과 소죄를 너무 심각하게 여겨서도 안 되겠지만 그것을 없애는 첫 단계로 반드시 대낮의 밝은 빛으로 끌어내야 한다. 의로운 사람도 매일 일곱 번이나 잘못을 저지른다.
>
> 성호를 긋고 "고해한 지 일주일 됩니다. 그 이후로…". 이렇게 고백을 시작한다. 죄를 모두 고백한 다음에는 "이 밖에 알아내지 못한 죄도 모두 용서하여 주십시오."라고만 고하면 된다. 다른 이들의 죄를 고백해서도 안 되고, 자신이 잘한 일을 고백해서도 안 된다. 오로지 자신이 지은 추하고 우중충하고 반복적인 죄를 고백해야 한다.

고해성사를 보는 것은 전혀 매력적이거나 낭만적인 일이 아니다. 모든 일이 그렇듯이 죄를 고백하는 데도 노력이 필요하다. 자연계의 질서를 보더라도 일을 해야 식탁에 빵을 올려놓을 수 있고 성취감도 느낄 수 있다. 일을 해야 진전이 있고 성공도 한다. 구원 사업에서 '우리는 하느님의 협력자'(1코린 3,9)다. 고백 행위를 통해 우리는 영성 생활에서 성장할 수 있으며 성찬의 식탁에 빵을 올려놓을 수 있다.

성 호세 마리아 에스크리바는 고해자가 고해실에 들어간 다음 취해야 할 행동에 대해 고해사제의 입장에서 권고했다. 필자가 알고 있는 권고 중에서 가장 탁월하다고 생각되어 소개한다. 그는 고해자에게 네 가지를 지키라고 했다. 곧 '빠짐없이 고하라, 진심으로 통회하라, 분명하게 표현하라, 간략하게 고하라'이다.

**빠짐없이 고하라** 대죄는 물론이거니와 소죄도 빼놓지 않도록 주의해야 한다. 무엇보다도 창피하다는 이유로 특정한 죄를 빠뜨려서는 안 된다. 가장 고백하기 힘든 죄목을 가장 먼저 고백하는 것이 좋다. 그 다음 죄목부터는 점점 쉬워진다.

**진심으로 통회하라** 자신이 지은 죄를 뉘우쳐라. 아낌없이 무한정 사랑을 베풀어 주시는 하느님의 마음을 아프게 해드렸음을 잊지 마라.

**분명하게 표현하라** 애매하게 또는 난해하게 표현하지 마라. 에둘러서 말함으로써 자신의 죄를 은폐하려 하지 마라. 고해사제가 분명하게 이해하도록 표현하라.

**간략하게 고하라** 세부적인 이야기까지 늘어놓을 필요는 없다. 그것은 매우 특수한 상황을 지어내거나 다른 이들을 탓함으로써 자신을 변호하는 데 지나지 않는다. 더구나 고해사제의 시간은 소중하다. 다른 사람들도 고해성사의 은총을 기다리고 있음을 염두에 두라.

다시 한 번 강조하지만 가장 중요한 것은 고해성사를 보는 것이다! 다음으로 미루지 마라.

# 12 영적 싸움

내적 참회, 참회 행위, 참회의 삶, 참회의 성사는 우리가 누구인지 상기시킨다. 우리는 사랑이 많으시고 한없이 너그러우신 아버지의 자녀다. 하지만 우리는 본향에서 멀리 떨어져 면목 없고 치욕스러운 환경 속에서 살고 있다. 매일의 양심 성찰과 매주 또는 매달 보는 고해성사는 우리의 기억과 삶이 왜곡되지 않도록 도와주며, 본향으로 향하는 길을 열어준다.

그렇다 하더라도 본향을 향한 여정은 여전히 만만치 않다. 우리가 살아야 할 거룩한 나라는 여전히 투쟁 중이며, 사악한 적들이 우리를 에워싸고 있다.

## 투쟁 중

진지한 그리스도인은 삶을 전투로 여긴다. 성 아우구스티노의

'그리스도인의 전투'에서 19세기 영국 찬송가 '나가자, 그리스도인 병사들이여'에 이르기까지 전투는 그리스도인의 삶을 비유하는 소재로 많이 사용되었다. 오늘날에도 여전히 유효하다. 아담의 후손들이 유혹을 극복하는 유일한 길은 하느님한테서 떼어놓으려는 것들과 전면전을 벌이는 것이다.

적은 다양한 방법으로 우리를 공격한다. 눈에 보이는 적이 있는가 하면 보이지 않는 적이 있다. 전투원은 적군 저격수의 공격에 어려움을 겪으면서 동시에 좌절감 · 피로감 · 자신감 상실 등에 시달린다. 영적 전투도 마찬가지다. 우리의 싸움은 이 세상과 육肉과 악마를 상대한다. 육의 탐욕으로 나약해진 우리는 하느님보다도 세상이 주는 즐거움에 더 끌린다. 악마는 우리의 약점을 알고 있으며 우리가 나약할 때 기회를 틈타 집중적으로 공격한다. 실패를 경험하면 우울함과 피로에 지칠 수 있다. 그러면 악마가 승리하게 된다. 가장 강한 적은 우리 자신이다.

제대로 훈련이 되어 있지 않은 병사는 싸움을 감당할 수 없다. 이 때문에 천주교인들은 자발적으로 영적 수련을 견뎌낸다. 가공할 만한 갖가지 유혹을 극복하기 위해서는 강해져야 한다. 우리는 아담에서 성 베드로에 이르기까지 실패를 겪은 이들의 사례를 잘 안다.

우리에게 불리한 점이 너무 많아 싸움을 시작하기도 전에 포기하고 싶은 유혹을 느낄 수도 있다. 그러나 결코 공격의 강도를 늦추면 안 된다. 오히려 공격을 두 배로 늘려 적들을 성 밖으로 멀리 쫓아내야 한다. 유혹을 느낄 만한 상황을 피함으로써 죄 지을 가능성을 피해야 한다.

대죄를 범할 만한 유혹 앞에서는 뒤도 돌아보지 말고 피해야 한다. 롯이 소돔을 빠져 나간 것처럼 말이다.(창세 19,15-23 참조) 너무나 사악해서 정면으로 대결해서는 안 될 죄도 있다. 성적인 죄와 같은 심각한 죄에 강렬하게 끌릴 때는 유혹을 느끼게 하는 상황에서 즉시 떠나야 한다. 체력이 바닥난 병사가 비교되지 않을 정도로 우세하고 치명적인 적을 피해 퇴각하는 것은 창피한 일이 아니다. 목숨을 부지하면 나중에 다시 싸울 기회가 온다. 신중함은 용기보다 낫다.

## 그리스도의 신비체

성공하든 실패하든 우리에겐 지원군이 있다. 우리를 에워싸고 있는 '구름처럼 많은 증인들'(히브 12,1)은 소극적인 방관자가 아니다. 그들은 우리의 아군이다. 천국에 있는 성인들은 우리를 위해 공덕功德을 세웠다. 그들에게 도움을 청하면 하느님께서 성인들의 의로움을 보시어 은총을 베푸신다. 가톨릭교회와 프로테스탄트들은 루터의 종교개혁 때부터 '공덕의 보고寶庫'에 대한 이해 차이를 좁히지 못했다. 하지만 이와 관련한 성경적 개념이 신약성경보다 더 오래된 것임에 틀림없다.

고대 라삐들의 전통을 이어받은 라삐 나훔 사르나는 창세기를 주석하는 글에서 이렇게 말했다. "하느님께서는 아브라함의 공덕을 통해 롯을 파국에서 구해 주셨다. '공덕에 관한 교의'는 성경에 종종 등장하는 주제며, 선택받은 한 사람의 의로움이 그 보호하는 능력으로 다른 사람 또는 심지어 집단 전체를 떠받치는 사례 가운데 첫 사례를 구성한다." 라삐 사르나는 모세 · 사무엘 · 아모스 · 예레미야 · 에제키엘의 삶에서 이 교의와 관련한 더 많은 증거를 제시한다.

여기에 욥을 추가하고 싶다. 욥은 이스라엘 사람이 아니었지만 의로운 사람이었다. 그는 오로지 자연법에 따라 살아가면서도 자신의 삶과 희생의 공덕으로 아들딸이 복을 받을 수 있다고 확신했다. 성경을 읽어보면 욥은 "아침 일찍 일어나 그들 하나하나를 위하여 번제물을 바쳤다. 욥은 '혹시나 내 아들들이 죄를 짓고, 마음속으로 하느님을 저주하였는지도 모르지.' 하고 생각하였기 때문이다."(욥 1,5)

고결한 인품의 이교도 자녀들도 아버지의 공덕으로 말미암아 은혜를 받을 수 있다면, 수많은 성인의 뒤를 잇는 우리 그리스도인은 말할 것도 없지 않겠는가? 공덕의 보고는 고갈되지 않으며 우리도 이 군자금軍資金의 도움을 받을 수 있다. 그러나 우리도 기여해야 한다. 자신뿐 아니라 다른 이들 곧 나의 벗, 이웃, 가족 구성원, 그리고 직접 알지는 못하더라도 함께 싸우는 수많은 동료 전투원을 위해 나의 수고와 노력을 바쳐야 한다. 성인들의 공덕이 우리에게 힘이 되듯이 우리의 참회 행위 또한 신묘한 방법으로 다른 이들에게 힘이 되리라.

사도 바오로는 말한다. "이제 나는 여러분을 위하여 고난을 겪으며 기뻐합니다. 그리스도의 환난에서 모자란 부분을 내가 이렇게 그분의 몸인 교회를 위하여 내 육신으로 채우고 있습니다." (콜로 1,24)

교회는 그리스도의 몸(1코린 12,27; 에페 4,12)이며 우리는 저마다 그분의 지체(로마 12,4-5; 1코린 6,15; 12,12)이다. 내가 선을 행할 때마다 동료 전투원의 사기가 높아진다. 우리한테는 모든 지체를 하나로 일치시키는 신묘한 연대성이 존재하기 때문이다.

악을 선택할 때도 단절된 채 홀로 죄를 짓는 것이 아니므로 전체 아군의 사기와 힘을 약화시킨다. 이는 적들의 창궐을 부추기는 결과를 가져온다.

전투원 가운데 존재하는 연대성은 가공의 환상이 아니다. 죄를 지을 때마다 우리는 스스로 작아지고 움츠러들 뿐 아니라 교회 또한 쇠약하게 만든다. 이것이 그리스도께서 죄를 고백하게 하신 이유다.

그리스도의 신비체와 성인들의 통공은 참회의 성사인 고해성사를 통해 힘을 얻는다. 20세기 유명한 문학 평론가 월리스 파울리는 우연한 기회에 이를 깨닫게 되었다. 당시 프로테스탄트였던 그는 영국의 프랑스계 미국인들이 다니는 천주교 성당에 들어간 적이 있다고 한다.

어떤 사람들은 무릎을 꿇은 채 기도하고 있었고, 또 어떤 사람들은 허공을 응시하고 있었다. 한 아이가 고해실 문을 열고 나오자 대기하고 있던 다른 아이가 고해실로 들어갔다. 고해실에서 나온 그 사내아이는 제단 앞으로 가더니 장궤틀에 무릎을 꿇었다. 그 아이가 방금 사제에게 무슨 죄를 고백했을지, 그리고 맑아졌을 아이의 영혼을 짐작해 보았다…. 나는 낯선 그 성당에서 많은 이들, 수많은 이들과 하나 됨을 경험했다. 제대 앞 장궤틀에서 기도하는 사내아이는 왼손에 차양 있는 모자를 꼭 쥐고 있었고, 아이의 영혼은 영원과 교감하고 있었다. 나는 교회에 이런 참회의 장이 있다는 것을 처음 알게 되었다. 줄을 서서 하느님을 기다려 본 적도 없었고, 30초 정도의 짧은 시간 안에 사람의 언어를 통해 죄를 용서하시는 하느님의 음성을 들어 본 적도 없었다.

당시 경험과 깨달음이 전환점이 되어 파울리는 얼마 후 천주교로 개종했다. 생소한 성당은 그에게 영혼의 안식처가 되었는데 그것은 곧 맨발로 달려나와 아들의 목을 끌어안으며 맞아주시는 그의 아버지 집이 되었다.

### 티와 들보

우리는 '수많은 사람들과 하나 되게' 해주는 가족 공동체의 구성원이다. 너무도 많은 사람의 기대를 짊어지고 있다. 곧 하늘의 수많은 성인, 이 땅의 수많은 그리스도인과 언젠가는 우리 공덕으로 도움을 받을 후세 사람들이다.

우리는 모든 죄를 거룩한 증오로 미워해야 하지만, 특히 자신의 죄를 미워해야 한다. 다른 이들의 죄, 예를 들어 인종 청소(대량 학살)나 인종차별과 같이 세상에 드러난 엄청난 죄, 또는 경멸 · 냉대 · 모욕과 같이 상처를 주는 의도적인 죄를 미워하기란 쉽다. 그러나 한 가지 명심해야 할 죄는 바로 우리 자신이 저지르는 죄다.

예수님의 말씀이다. "너는 어찌하여 형제의 눈 속에 있는 티는 보면서, 네 눈 속에 있는 들보는 깨닫지 못하느냐?"(마태 7,3) 내 삶에서 가장 미워해야 할 죄가 있다면 그것은 자신이 저지른 죄다. 직장 동료, 이웃, 가족 구성원이 저지른 죄 때문에 내가 받은 상처를 모두 합한 것보다도 내가 지은 죄로 말미암아 내 영혼에 생긴 상처가 훨씬 더 크다.

자기 자신의 죄에 대한 적극적인 증오심이 동반되지 않는 한 하느님께 대한 나의 사랑은 아무 소용이 없다. 그것은 감상에 젖은 억지웃음에 지나지 않는다. 당신이 주님을 얼마나 사랑하는지 가늠해 보고 싶은가? 그러면 자문해 보라. 나는 교회 내 스캔들이나 정치적 비리보다도 이번 주에 내가 지은 죄 때문에 더 괴로워하는가? 나는 과연 직장 상사의 부정행위나 동료 · 배우자 · 자녀의 부정행위보다도 나의 부정행위를 더 의식하는가? 스스로에게 정직하다면 이런 물음은 무척 부담스러울 것이다.

한집안의 가장이 침입자에게 대항하듯이 우리는 자신의 죄뿐 아니라 모든 죄에 대항해야 한다. 맞서야 할 악이 너무나 많다. 사실 무시해도 좋을 만큼 작은 죄는 존재하지 않는다. 성 아우구스티노는 다음과 같이 경고한다. "사람이 육신을 지니고 사는 한 어느 정도 가벼운 죄를 피할 수는 없다. 그러나 우리가 가볍다고 말하는 이 죄를 가벼이 여기지 말기를…. 가벼운 죄가 모여 거대한 죄를 낳는다. 수많은 물방울이 모여 강을 이루고 여러 결정이 모여 하나의 덩어리를 이루듯이 말이다. 그렇다면 희망은 있는가? 그렇다. 그리고 그중 고백이 으뜸이다!"

'모든 것에 앞서 고해성사가 우리의 희망이다!' 오래전 참회의 힘든 여정을 견뎌내고 승리한 한 죄인의 증언이다.

## 돌로 된 마음, 살로 된 마음

상황이 불리해지고 전투에서 패배할 것처럼 보이더라도 희망을 저버리지 마라. 왜냐하면 우리가 스스로 할 수 없는 일을 고해성사를 통해 이루기 때문이다. 또한 고해성사를 통해 하느님께서 베푸시는 은총은 악마가 우리에게 미치는 어떤 영향보다도 강하다. 구하고 치유하고 새롭게 하시는 하느님의 능력은 죄를 짓고 파괴하는 인간의 능력보다 한없이 강하다.

"내가 너의 악행들을 구름처럼, 너의 죄악들을 안개처럼 쓸어

버렸다. 나에게 돌아오너라. 내가 너를 구원하였다."(이사 44,22) 예수님은 "세상의 죄를 없애시는 하느님의 어린양(요한 1,29)이시다." 예수께서는 근원적으로 죄를 치워 없애신다. 죄를 용서하시는 것뿐 아니라 우리의 마음에서 죄를 치워 없애고 그 뿌리를 뽑아버리신다. 나아가 우리 안에 새로운 마음, 깨끗한 마음을 심어주신다. 마치 먼저 주신 마음을 우리가 더럽히지 않은 것처럼 말이다. "너희에게 새 마음을 주고 너희 안에 새 영을 넣어주겠다. 너희 몸에서 돌로 된 마음을 치우고, 살로 된 마음을 넣어주겠다."(에제 36,26)

그리스도는 패배를 모르신다. 다시 돌아가 그분 곁에서 싸우기만 하면 우리도 패배하지 않을 것이다.

예수 그리스도와 그분의 성인이 우리와 함께하시는데 누가 적들을 두려워하랴. 우리는 먼 지방을 떠도는 탕자다. 우리 자신을 위해 고향으로 돌아가야만 한다. 하지만 먼저 고향을 그리워하는 마음이 있어야 하고, 그다음에는 고향을 향해 멀고도 험한 여정을 떠나야 한다.

그 여정의 단계마다 고해성사를 통해 더욱 맑아져야 한다. 영혼의 상태와 관련하여 스스로를 기만하는 것은 아무런 도움이 되지 않는다. 없어졌으면 하고 바라는 마음만으로는 죄를 씻을 수 없다. 이른바 뉴에이지식 상상기법을 사용하더라도 돼지우리가 온천으로 바뀌지는 않으며, 돼지가 세틀랜드종 조랑말로 둔갑하지는 않는다.

참회를 대체할 것은 아무것도 없다. 죄를 참회하지 않으면 분노와 원망만 남으며, 죄를 고백하지 않으면 자신의 죄책감을 다른 이들에게 투사하게 된다. 다시 말해 우리가 죄를 지어 상처 입은 상대방을 탓하고, 부모를 탓하고, 정부를 탓하고, 사장이나 이 사회를 탓할 것이다. 또 조상을 탓하고 환경을 탓할 것이다. 하지만 이는 정신착란이나 다름없으며 사실은 하느님을 탓하는 것이다. 우리 죄를 고백하지 않으면 우리도 아담처럼 하느님을 탓하게 될 것이다.

## 영혼이 바라는 것

우리가 죄를 고백하지 않는다면, 참회의 삶을 살지 않는다면 삶은 패배라고 생각할 것이다. 삶은 왜곡된 채 끝내 제 모습을 드러내지 못하게 된다. 자신의 처지를 변명하고 상대방을 탓하느라 진실이 가려지기 때문이다. 성경적 세계관을 깨닫지 못함으로써 세상을 있는 그대로 보지 못하고 아담과 카인처럼 어두운 통로로, 또는 이집트를 그리워하고 바빌론에 안주했던 변덕스럽고 속된 이스라엘 백성처럼 배를 채우는 여물통으로 이해하게 될 것이다.

우리가 바치는 기도는 자신이 바라는 바를 하느님께 청하는 내용으로 채워진다. 이것이 옳지 않다는 말은 아니지만 참회는 우리를 더 나은 길로 이끈다. 참회 행위로 하느님께서는 내가 바라는 바를 바꾸어 주시니 이로써 더 이상 내가 원하는 것을 바라지 않게 된다. 오히려 영원한 생명을 얻고 하느님의 본성에 참여하기 위해 필요한 것을 바란다.

우리는 참회 행위로 진정으로 필요한 새 마음을 얻는다. 고해성사는 일상생활 속의 참회 능력을 축복하고 완성하며 확대시킨다. 고해하는 사람들을 위한 어느 기도의 마지막 구절처럼 말이다. "당신의 선한 행위들과 참아 받는 고난으로써 당신의 죄가 치유되고, 거룩함 안에서 성장할 힘을 얻으며, 영원한 생명을 보상받기를 빕니다."

"평안히 가십시오."

# 13 열린 문

만약 예수께서 고해성사를 제정하지 않았다면 우리 스스로 고안했을지 모른다. 하느님께서는 오직 고백으로만 채워질 수 있는 내적 요구를 우리 안에 심어놓으셨기 때문이다.

죄를 고백함으로써 위안을 얻은 사람은 습관적으로 죄를 고백한다. 종교개혁자 마르틴 루터는 세례성사와 성체성사를 제외한 여타의 성사는 필요 없다고 생각했다. 하지만 그는 자신의 직감에 순응해 결국 '고해성사를 집어넣었다'. 그리고 그 이유에 대해 이렇게 설명한다. "의심의 여지없이 죄의 고백은 필요하며 십계명에 근거하여…. 오늘날 실천되고 있는 비밀 고백에 관하여 말하자면… 개인적으로 매우 만족스럽다고 생각한다. 이는 유용할 뿐 아니라 반드시 필요하다. 죄 고백의 전통이 끊어지지 않기를 바란다. 그 전통이 그리스도 교회 안에 존속한다는 것을 기쁘게 생각한다. 고해성사는 병든 영혼을 위한 유일한 치료약이기 때문이다." 오늘날에도 루터 교회의 의식서에는 비밀 고백 의식이 포함되어 있다.

어른이 된 이후에 죄 고백의 기쁨을 알게 된 사람은 매우 깊은 만족을 얻는다. 호교론자 C.S.루이스는 죄 고백의 전통에 마음이 끌리기는 했지만 자신 안에 깊이 자리하고 있는, '로마 가톨릭 냄새'가 나는 모든 의식이나 전통에 대한 편견과 선입관을 극복해야만 했다. 1940년 그는 죄 고백을 하기로 결심했다. 그는 그것이 일평생 가장 내리기 힘든 결정이었음을 솔직히 인정했다. 그 이후로 그는 정기적으로 성공회 신부에게 자신의 죄를 고백했다.

루터는 가톨릭교회를 떠난 이후에도 죄 고백을 계속했다. 루이스는 가톨릭교회 바깥에서 그 방법을 찾았다.

하지만 대부분의 프로테스탄트는 교회 안에 그런 의식이 있는 것도 모른 채 성장했거나 어른이 된 후에는 그에 관해 긍정적으로 접근해 본 적이 없다. 그런데도 그들은 스스로 참회의 수레바퀴를 서서히 고안해 내고 있다.

## 미납금

1979년 유명한 프로테스탄트 신학교에 입학한 나는 당시 신혼이었다. 아내와 나는 일평생 장로교회에서 목회 활동을 할 포부를 가지고 있었고, 그 포부에 대해서도 자부심을 가지고 있었다. 신학 공부도 열심히 했고 신앙심도 깊었다.

하지만 무언가가 나의 양심을 계속 괴롭혔다. 그것은 비행을 일삼던 십대 청소년 시기에 내가 지불하지 않은 미납금 때문이었다. 그리스도교에 귀의하기 전 나는 무려 몇백 달러나 되는 음반을 훔쳤다. 그 과거가 나를 괴롭혔다. 도둑질을 했으면 그에 대해 곱절 또는 네 곱절로 갚아야 한다는 탈출기 22장의 말씀을 읽었다. 그 성경 말씀이 가슴에 사무쳤고 죄책감으로 괴로웠다.(탈출 22,1-3; 루카 19,1-10)

나 자신이 위선자 같았다. 자신의 옳지 못한 행위에 대해서는 아무 조치도 취하지 않은 채 신학 공부를 하고 복음 말씀을 증거하며, 목회를 준비했으니까. 물론 마음속으로야 하느님께 죄를 고백했고 부모님께도 잘못을 빌었지만 그것만으로는 어딘지 부족하다는 걸 느꼈다.

많은 기도 끝에 아내와 상의했다. 주머니 사정이 좋지 않았음에도 아내는 내가 훔친 음반 가격의 네 곱절로 배상하는 데 동의했다.

그러고는 지난날 어느 상점에서 얼마나 훔쳤는지, 그 기억을 되살려 내느라 머리를 쥐어짰다. 제법 정확한 총액을 계산해 낼 수 있었고, 상점 이름도 대충 기억이 났다. 나는 숨을 한번 깊이 들이쉬고는 전화번호를 누르기 시작했다.

그들의 반응은 다양했다. 두 곳에서는 사과는 받아들이겠지만 내 뜻을 받아들일 수 없다고 했다. 그들의 회계장부에는 장기 분

실된 상품에 대한 차후지불금을 받는 조항이 없다는 설명이었다. 그러나 한 상점 직원은 내 제안을 받아들이겠다고 했다. 그 상점에서는 나와 같은 사례, 곧 새 삶을 얻은 그리스도인이 문의해 오는 배상제안이 여러 번 있었노라고 했다. 그래서 그 상점은 회계장부에 '배상 기금'에 대한 조항을 마련해 놓았던 것이다.

나는 돈을 있는 대로 긁어모았다. 그리고 저축해 두었던 돈까지 남김없이 찾아서 지불했다. 그러고 나니 성탄절이 다가오는데 아내와 나는 무일푼이었다. 하지만 상관없었다. 우리 부부는 공예 솜씨를 발휘해 가족과 친지에게 줄 선물을 만들었다. 그들은 가장 훌륭한 성탄 선물이라며 우리 부부를 위로해 주었고 지금까지도 그 선물을 소중히 간직하고 있다.

몇 년 만에 처음으로 죄를 깨끗하게 씻은 것 같았고, 마음은 깃털처럼 가벼웠다. 천국의 평온함이 이런 것이 아닐까 하는 생각이 들었다. 당시에는 몰랐지만 그때 맛본 기쁨은 죄 고백과 참회와 보속을 실천함으로써 얻을 수 있는 것이었다.

배상을 통해 해방감을 느낄 수도 있다. 그리고 배상은 때로 반드시 필요하다.(「교리서」 2412항 참조) 그러나 교회는 이 문제에 관해 모세법을 엄격하게 요구하지는 않는다. 다시 말하면 과거에 저지른 모든 잘못에 대해 하나하나 사과할 것을 모든 사람에게 요구하지는 않는다. 과연 어떤 죄는, 예를 들어 성적인 죄는 개인적으로 접촉하거나 배상하려는 시도가 오히려 영적으로 비참한 결과를 초래할 수도 있다.

교회가 하는 일은 사람이 자기 영혼의 무거운 짐을 벗고 죄로 말미암은 상처를 치유하기 위해 필요한 상담과 은총을 받을 수 있는 시간과 장소를 제공하는 것이다.

### 희년의 날

고해성사를 통해 경험한 은총은 일상생활 속에 넘쳐흐를 수밖에 없다. 예수께서는 이렇게 말씀하시지 않았던가? "너희 아버지께서 자비하신 것처럼 너희도 자비로운 사람이 되어라."(루카 6,36) 예수께서는 우리가 받을 자비는 우리가 다른 이들에게 베푼 자비에 달려 있다고 가르치시며 분명하고 강한 어조로 말씀하셨다. "너희가 심판하는 그대로 너희도 심판받고, 너희가 되질하는 바로 그 되로 너희도 받을 것이다."(마태 7,2) 성 야고보는 정신이 바짝 드는 말을 한다. "자비를 베풀지 않은 자는 가차 없는 심판을 받습니다."(야고 2,13)

하느님께서는 우리에게 자비를 구하고 받을 수 있는 방법을 마련해 주셨다. 그것은 성사적 방법이다. 영적이면서도 구체적이고, 거룩하면서도 세속적이다. 우리도 가족과 직장 동료와 이웃에게 자비를 베풀 수 있는 구체적이고 실제적인 방법을 찾아야 한다. 자신이 경험한 자비를 다른 이들에게 베풀어야 하느님의 자비를 누릴 수 있기 때문이다.

일상 안에서 하느님의 사랑을 본받는 방법은 많다. 우리 집에서는 '희년의 날'을 도입했다. 사실 이는 역사적으로 상당히 오래된 구약시대의 전통이다. 고대 이스라엘은 50년마다 '희년'을 지냈다.(레위 25,8-55 참조) 희년이 선포된 해에는 빚을 탕감해 주었고 노예들이 해방되었으며 모든 이스라엘 사람이 자기 지파로 돌아갔다. 희년은 가족의 회복과 세대 간 화해를 이루는 시기였다.

우리 가정에 무슨 문제가 있는 느낌이 들 때 나는 이 고대 전통의 도움을 받아야겠다는 생각을 했다. 아이들이 아빠에게 어떤 문제에 대해 솔직하게 고백하지 않을 때 나는 이따금씩 가족의 희년을 선포한다. 누구든 혼나거나 벌받을 걱정 없이 자기 잘못이나 실수를 고백할 날을 정하는 것이다.

나는 가정과 아이들에게 일어난 변화를 보면서 감탄한다. 나 개인적으로도 우리 가족의 '희년의 날'을 통해 삶의 획기적인 진전을 경험한 적이 있다. 어쨌든 희년이 우리 가족에게 가르쳐 주는 교훈은 모든 일을 그저 규율이나 규칙에 따라 행하는 것보다는 올바른 관계를 세우는 일이 무엇보다 중요하다는 것이다. 이것은 내가 고해성사를 볼 때마다 얻는 교훈이기도 하다.

하느님께서는 우리에게 한없이 자비로우시다. 구약에서는 희년을 반세기마다 지냈다. 평생에 한 번 맞이한다면 행운이었으리라. 과월절도 1년에 한 번 지내는 축제일이었다. 그러나 신약에 와서는 우리가 성사에 참여할 때마다 희년을 기념할 수 있게 되었다.

하느님의 자비는 무한하시다. 그러나 정의를 소홀히 하는 것은 아니다. 하느님은 자애롭게 인내하시며 점진적으로 정의를 이루신다. 우리는 그분의 자녀이기 때문이다. 하느님께서 가족에게 어떻게 자비를 베푸시는지 아는 우리는 그분의 자비를 가정 안에서 그대로 본받도록 적극적으로 노력해야 한다.

교황 성 레오 1세(재위 440-461년)는 이렇게 말했다. "자비는 여러분이 자비롭기를 바란다. 정의는 여러분이 정의롭기를 바란다. 창조주께서는 당신의 모습이 피조물에 반영되는 것을 보고 싶어하신다. 하느님께서는 당신의 모습이 인간 영혼이라는 거울에 재현되기를 바라신다."

## 죄 고백의 빈도

이제 와서 고백하지만 이 책을 쓰기 시작할 때 두려움이 앞섰다. 미국에서 화해의 성사 곧 고해성사는 거의 버려진 상태라 해도 과언이 아니다. 어떤 본당은 공식적으로 일주일에 30분만을 고해성사에 할애한다. 다른 본당은 그것마저 없애고 약속을 해야만 고해성사를 볼 수 있는 실정이다. 고해성사를 보는 사람이 없다는 게 사제들의 설명이다. 별로 놀랄 일도 아니라는 눈치다. 최근 연구조사에서 전체의 50퍼센트에 달하는 사제들은 신자들이 기껏해야 '일 년에 한두 번' 고해성사를 보거나 '거의 보지 않는다'고 답했고, 어떤 사람은 '전혀 보지 않는다'고 했다.

그러나 오늘날처럼 고해성사의 필요성이 절실한 때도 없다고 생각한다. 현대인은 고해성사를 대체할 다른 방법을 찾아 헤매고 있지만 우리는 고해성사 없이는 살 수가 없다. 어떤 이들은 약물이나 상호 의존적 인간관계를 통해 자신이 지은 죄의 탈출구를 찾는다. 또 다른 이들은 상담이나 여타 치료법을 통해 위안을 찾기도 한다. 그러한 모든 방법은 증상을 가리거나 숨길 수 있을지는 몰라도 그중 어떤 방법도 궁극적으로 병을 치유하지는 못한다. 치유는 오직 죄를 고백함으로써만 가능하며 그것은 죄를 없애시는 하느님의 어린양만이 하실 수 있다.

우리에겐 고해성사가 있어야 한다. 마르틴 루터와 C.S. 루이스는 말할 것도 없고 시성된 수많은 성인의 영혼을 사로잡았던 자비를 향한 열렬한 갈망은 오늘날에도 줄어들지 않았다. 오히려 더욱 강해졌다. 많은 사람이 고향집에서, 곧 아버지 하느님의 집에서 쫓겨났다고 느끼는 불안한 시대를 살고 있기 때문이다. 고향집의 단란함과 그 식탁으로 돌아가고 싶은 사람한테는 죄를 고백하는 것이 해답이다. 우리의 갈망이 채워질 유일무이한 그곳으로 초대하는 열린 문이 곧 고해소다.

예수께서 말씀하셨다. "나는 문이다. 누구든지 나를 통하여 들어오면 구원을 받고, 또 드나들며 풀밭을 찾아 얻을 것이다."(요한 10,9) 단순한 말이지만 크나큰 자비의 말이다. 우리는 누구나 죄인이며 (성경 말씀을 따르면) 가장 의로운 사람도 하루에 일곱 번 넘어지기 때문이다!

## 자비의 치유력

예수님은 가없는 자비이시며 교회를 통해 고해성사 안에서 한없이 자비를 베푸신다. 고백은 영적 성장의 열쇠며 믿는 이들이 자신의 모습을 더욱 깊이 깨닫는, 곧 하느님의 눈으로 자신을 돌아보는 일상적인 방법이다. 또한 이 세상과 자신의 정체와 인생에 대한 망상이나 기만을 가지고 살아가는 어리석음에 빠지지 않도록 우리를 바로잡아 준다.

고백은 우리 영혼의 어두운 구석에 영원한 날의 밝은 아침 햇살이 들게 함으로써 하느님의 눈으로 세상을 바라보게 한다. 이는 힘든 과정이 될 수도 있고 때로는 고통스런 경험일 수도 있으나 예수 그리스도의 전능하신 손길로 치유된다.

고백을 통해서 우리는 치유되기 시작한다. 자신의 삶을 있는 그대로 바라보게 된다. 열린 문이신 그리스도를 통해 본향으로 돌아가 하느님의 가족 안에서 자신의 지위를 되찾고 평화를 얻게 된다.

다시 한 번 말하지만 이러한 과정과 결과는 쉽게 얻어지지 않는다. 고백을 한다고 해서 변화가 쉽게 이루어지는 것은 아니다. 하지만 변화는 분명 가능하다. 그 변화는 초자연적 차원, 곧 구원으로 나아가는 과정이다. 이는 나만을 위한 일이 아니라 나와 관계를 맺는 모든 사람을 위한 일이다. 고백은 즉효약은 아니지만 확실하게 치유하는 약이다.

우리는 고해성사를 보고 또 보고, 지속적으로 보아야 한다. 인생은 백 미터 달리기가 아니라 마라톤이기 때문이다. 달리기를 그만두고 싶을 때가 있겠지만 장거리 선수답게 제2호흡(심한 운동 뒤에 정상 상태로 돌아간 호흡), 제3, 제4호흡 상태가 찾아올 때까지 밀어붙여야 한다. 더구나 그리스도인한테는 제2, 제3의 호흡이 찾아오리라는 확신이 있으니 그것이 곧 성령의 '숨'이기 때문이다.

나는 분명한 근거를 가지고 고백의 지속적인 필요성을 이야기했다. 다시 말해 하느님의 자비를 구하며 무릎 꿇어 죄를 고백하고 치유받는 과정을 수없이 되풀이함으로써 비로소 제 갈 길을 찾았지만 오래전부터 뿌리 깊은 죄의 습성에 젖어 살던 사람으로서 고백의 지속적인 필요성을 주장했다.

# 양심 성찰

아래의 양심 성찰 목록은 제임스 소치아스 신부의 양해를 얻어 그가 편집한 「기도 안내서*Handbook of Prayers*」에서 발췌했다. 아래 목록을 사용하거나 개인적으로 작성한 목록을 사용해도 좋다. 양심을 성찰하여 죄를 알아내는 데 도움이 되는 방법이라면 어떤 것이라도 상관없다. 십계명을 의식적으로, 의도적으로 거슬렀는지 진지하게 반문해 보자.

제 1 계명

- 신앙의 의무를 마지못해 하거나 꺼려하지는 않았는가?
- 기도생활을 소홀히 했는가? 일상 기도를 빼먹지는 않았는가?
- 대죄 상태에서 또는 적절한 준비 없이 영성체를 하였는가?
- 영성체 전 한 시간 금식 규정을 어겼는가?
- 지난 고해성사 때 고백하지 않은 중대한 죄가 남아 있는가?
- 미신을 믿거나 따른 적이 있는가? 예를 들면 손금을 본다든가 점을 본 적이 있는가?
- 교리를 심각하게 의심한 적이 있는가?

- 교회의 신앙과 도덕에 반하는 내용을 담은 책이나 잡지를 읽음으로써 타당한 이유 없이 나의 믿음을 위험에 빠뜨리지는 않았는가?
- 교회의 믿음에 반하는 단체나 조직 모임이나 행사, 예를 들어 타종교 의식, 뉴에이지 운동 행사나 모임에 참여함으로써 믿음을 위험에 빠뜨린 적은 없는가?
- 신성모독을 범한 적은 없는가? 성인 · 성지 · 성물을 모독한 적은 없는가?

### 제 2 계명

- 하느님께 드린 약속이나 결심을 실천하는 데 최선을 다했는가?
- 하느님의 이름을 헛되이 부른 적은 없는가? 하느님의 이름을 조롱하고 웃음거리로 이용하며 분노하여 부르는 등 부적절하게 사용하지는 않았는가?
- 동정 마리아의 이름이나 다른 성인들의 이름을 조롱하고 웃음거리로 이용하며 분노하여 부르는 등 부적절하게 사용하지는 않았는가?
- 천주교회 밖에서 대부나 대모가 된 적이 있는가? 천주교회 밖에서 어떤 예식에 적극적으로 참여한 적이 있는가?
- 진실을 말하기로 맹세하고 거짓을 말한 적이 있는가?
- 사적이거나 공적인 서약을 어긴 적이 있는가?

## 제 3 계명

- 주일미사나 축일미사에 참석하지 않은 적이 있는가?
- 미사에 적합한 복장을 갖추지 않은 적이 있는가?
- 이유 없이 미사 시간에 늦게 도착하여 주일 의무를 다하지 않은 적은 없는가?
- 미사 시간에 집중하지 않거나 호기심으로 두리번거리는 등의 행동으로 분심한 적은 없는가?
- 다른 사람에게 분심을 일으키는 행동을 하지는 않았는가?
- 일요일이나 의무축일에 하느님께 드리는 예배나 주일에 누려야 할 기쁨이나 몸과 마음의 휴식에 방해가 되는 일이나 사업 활동을 한 적이 있는가?
- 능력이 허락하는 한에서 교회의 필요에 아낌없이 도움을 주었는가?
- 교회가 정한 날에 단식이나 금육을 실천하였는가?

## 제 4 계명

**부모로서**

- 자녀에게 기도를 가르치고 주일미사에 보내거나 종교교육을 시키는 데 소홀하지는 않았는가?
- 자녀에게 나쁜 본보기가 되지는 않았는가?
- 자녀가 어떤 친구와 사귀는지, 어떤 책을 읽는지, 어떤 영화나 텔레비전 프로그램을 보는지 관심을 갖고 있는가?

- 첫 고해성사와 첫영성체는 시켰는가?
- 견진성사는 받게 했는가?

### 자녀로서

- 부모님에게 순종했는가?
- 부모님이 내 도움을 필요로 했을 때 기꺼이 도와드렸는가?
- 존경심과 애정을 가지고 부모님을 대했는가?
- 부모님의 지적을 받고 대든 적이 있었는가?
- 비뚤어진 욕심으로 독립하고 싶어하지는 않았는가?
- 내게 맡겨진 집안일을 소홀히 하지는 않았는가?

### 제 5 계명

- 쉽게 화를 내거나 성을 낸 적은 없는가?
- 다른 이들을 시기하거나 질투하지는 않았는가?
- 다른 사람을 다치게 하거나 죽게 한 적이 있는가? 난폭하게 운전한 적은 없는가?
- 말로 죄를 지은 적은 없는가? 종교를 비꼬거나 인종차별적 발언을 하거나 성적으로 불쾌감을 주는 농담을 하거나 외설적인 쇼 따위를 구경하도록 권하거나 정신 건강에 해로운 책과 잡지를 빌려주거나 도둑질을 하도록 부추기지는 않았는가? 자신이 저지른 이 같은 잘못을 기워 갚으려 노력했는가?

- 다른 사람을 죄로 이끈 적은 없는가? 어떤 죄였는가?
- 건강을 돌보는 데 소홀하지는 않았는가? 자살을 시도한 적은 없는가?
- 자신이나 다른 사람의 신체를 훼손한 적은 없는가?
- 술이나 마약에 취한 적은 없는가?
- 폭식이나 폭음한 적은 없는가?
- 어떤 형태로든 물리적 폭력에 가담한 적은 없는가?
- 불임수술이나 정관 절제술과 같이 직접적인 단종에 동의하거나 적극적으로 참여한 적이 있는가? 이것이 부부 생활에 영구적 영향을 미친다는 것과 하느님의 심판을 받게 되리라는 것을 알고 있는가?
- 낙태에 동의하여 권유하거나 직접 한 적이 있는가? 낙태하거나 낙태 시술을 하는 사람들은 자동적으로 파문된다는 것을 알고 있는가? 매우 중대한 죄라는 것을 인식하고 있는가?
- 말이나 행동으로 다른 사람에게 해를 끼친 적이 있는가?
- 내 기분이나 마음을 상하게 한 상대에게 복수할 생각을 했거나 증오심과 적의를 품은 적은 없는가?
- 다른 사람의 마음을 상하게 했을 때 사과했는가?
- 다른 사람을 모욕하거나 악의에 찬 말로 놀리지는 않았는가?
- 형제끼리 다투지는 않았는가?

### 제 6 계명과 제 9 계명

- 의도적으로 불순한 생각을 했는가?
- 행동으로 옮기지는 않았다 하더라도, 정결의 덕을 거스르는 악한 욕망에 동의한 적은 없는가? 인척 · 근친 · 기혼자 또는 성직자나 수도자와 연관되어 죄를 범할 가능성이 있는 상황은 없었는가?
- 음담패설에 가담한 적이 있는가? 혹 내가 먼저 시작했는가?
- 부도덕한 내용의 책이나 영화 또는 쇼나 춤과 같은 오락에서 즐거움을 얻으려 하지는 않았는가? 평판이 좋지 않은 숙박업소에 자주 들락거리거나 그런 사람들과 가까이 사귀지는 않았는가?
- 성적으로 끌리는 사람과 한 방을 쓰거나 죄로 이어질 수 있는 상황에 단 둘이 있음으로써 죄짓는 기회에 노출시키는 것이 죄가 될 수 있음을 알고 있는가?
- 정결을 지켜주는 안전장치라 할 수 있는 예절과 품위에 어긋나는 행동을 하지는 않았는가?
- 쇼를 보러 가거나 책을 읽기 전에 그 내용이 암시하는 바를 미리 점검해 보지 않음으로써 죄의 위험에 노출시키거나 양심을 속인 적은 없는가?
- 선정적인 사진이나 그림을 보고 따라하거나 다른 사람에게 요구하지 않았는가?
- 상스럽고 음란한 죄에 다른 사람을 끌어들인 적이 있는가?

• 음란한 행위를 저질렀는가? 자위행위(객관적으로 대죄에 속함)를 저질렀는가? 혼자서, 아니면 다른 사람들과 어울려? 몇 번이나 저질렀는가? 동성끼리였는가, 이성끼리였는가? 죄를 더 중하게 만들 만한 인간관계는 아니었는가? 부정한 관계로 임신하지는 않았는가? 피임을 하거나 낙태한 적이 있는가?
• 성적인 죄를 상습적으로 저지르는 친구들과 어울리지는 않았는가? 그들과 관계를 청산할 준비가 되어 있는가?
• 진심으로 상대방을 사랑해서 평생을 같이하고자 하는가? 사랑하는 상대방을 죄의 위험에 노출시키지 않기 위해 끊임없이 인내하고 희생하는 자세로 생활하는가? 사랑을 이기심이나 쾌락과 혼동함으로써 고귀한 사랑을 격하시킨 적은 없는가?

**기혼자의 경우**

• 심각한 사유 없이 배우자의 권리를 무시한 적은 없는가? 배우자의 심리 상태나 건강 상태에 대한 고려 없이 일방적으로 내 권리만 주장한 적은 없는가? 마음으로나 행동으로 부부의 신의를 저버린 적은 없는가?
• 새 생명이 잉태되기 전이나 이후에 피임약이나 인공 피임기구를 사용하지는 않았는가?
• 중대한 이유 없이 임신을 피하기 위한 목적으로 임신이 가

능하지 않은 날만을 골라 부부관계를 가지지는 않았는가?
- 다른 사람에게 피임약이나 그 이외의 인공피임방법(콘돔 따위)을 권한 적은 없는가?
- 권고나 농담을 통해 피임 · 낙태 · 단종을 조장하는 사회 분위기에 관여했는가?

## 제 7 계명과 제 10 계명

- 훔친 일이 있는가? 훔친 물건의 가격과 값어치는 얼마나 되는가? 돌려주었거나 적어도 돌려줄 의향이 있는가?
- 다른 사람에게 재산상의 피해를 입힌 적이 있는가? 그 피해는 어느 정도인가?
- 속임수나 사기, 강압적인 분위기로 계약이나 거래를 성사시켜 다른 사람에게 상처를 주거나 손해를 입힌 적은 없는가?
- 내 처지에 어울리지 않는 과소비를 하지는 않았는가? 허영심 때문에 또는 줏대 없이 과도하게 돈을 쓰지는 않았는가?
- 내 힘이 닿는 한에서 자선을 실천하고 있는가?
- 이웃의 물건을 탐낸 적은 없는가?
- 빚을 갚지 않은 일이 있는가?
- 훔친 물건인 줄 알면서 받은 일이 있는가?
- 훔칠 생각을 한 적이 있는가?
- 열심히 일하거나 공부하는 대신 나태함이나 안락함에 빠진 적은 없는가?

• 탐욕에 빠진 적이 있는가? 유물론적 인생관에 지나치게 깊이 빠지지는 않았는가?

제 8 계명

• 거짓말을 한 적이 있는가? 내 거짓말로 말미암아 다른 사람이 입은 피해를 바로잡아 주었는가?
• 부당하게 또는 경솔하게 다른 사람을 탓한 일이 있는가?
• 필요 없이 다른 이의 잘못을 이야기하거나 욕을 한 일은 없는가?
• 소문 · 험담 · 중상모략에 가담한 일은 없는가?
• 정당한 이유 없이 다른 사람의 비밀을 발설했는가?

## 간단한 양심 성찰

• 제대로 준비하여 고해성사를 보았는가? 대죄 상태에서 성체를 영하거나 다른 성사를 받은 일은 없는가? 지난 고해성사 때 의도적으로 고하지 않은 대죄는 없는가?
• 심각하게 믿음에 대한 의혹을 갖거나 타 종파의 행사나 모임에 참석하거나 교회의 가르침에 적대적인 글을 읽음으로써 믿음을 잃을 위험에 자신을 노출시킨 일은 없는가? 손금을 보거나 점을 보는 등 미신 행위를 한 일이 있는가?

- 하느님의 이름을 헛되이 부르지는 않았는가? 저주나 거짓 맹세를 한 일이 있는가? 욕설을 한 일이 있는가?
- 중대한 사유 없이 자신의 잘못으로 주일미사나 축일미사에 참례하지 않은 적이 있는가? 정해진 날에 단식과 금육을 지켰는가?
- 중요한 일과 관련하여 부모님이나 윗사람에게 불순종하였는가?
- 이기적으로 사람을 대한 적이 있는가? 특히 배우자 · 형제 · 친척 · 친구에게 이기적이었던 적은 없는가? 악감정을 가지고 말다툼을 하거나 복수하려는 마음을 품은 적이 있는가? 용서를 청하는 사람을 외면하지는 않았는가? 다른 사람에게 신체적 상해를 입히거나 죽게 한 적은 없는가? 술에 취하거나 마약을 복용한 적이 있는가? 낙태에 동의하거나 다른 사람에게 권유하거나 직접 낙태를 한 적이 있는가?
- 음란한 사진이나 부도덕한 영화를 자의로 본 적이 있는가? 부도덕한 책이나 잡지를 본 일이 있는가? 불순한 생각이나 감정을 의도적으로 즐긴 일이 있는가? 음담패설에 가담한 일이 있는가? 홀로 또는 다른 사람과 함께 음란 행위를 한 적이 있는가? 피임약이나 낙태를 유발하는 약, 또는 그 이외의 인공피임도구를 사용한 일이 있는가?
- 남의 물건을 훔치거나 재산상의 피해를 준 일이 있는가? 그 피해를 돈으로 환산하면 어느 정도 값어치에 해당하는가?

배상은 했는가? 사업상의 관계에서 정직하였는가?

- 거짓말을 한 일이 있는가? 남을 헐뜯었는가? 필요 없이 다른 사람의 비밀을 폭로함으로써 비방죄를 범하지 않았는가? 중요한 일과 관련하여 다른 사람들을 경솔하게 판단하지는 않았는가? 나로 말미암아 명예가 훼손된 사람의 명예를 회복시키기 위해 노력했는가?

이 밖에도 다른 심각한 죄가 기억나거든 모두 고백한다.

# 옮긴이의 말

가톨릭 신자들의 신앙생활에서 지극히 중요하면서도 겉으로 드러나지 않는 부분이 있다. 바로 고해성사다. 그 성격상 지극히 사적이며 은밀하다. 신앙생활에서 가장 소중하고 진지한 순간임에 틀림없다. 그러나 그와 동시에 대다수 사람들이 꺼려한다.

자기 죄를 고백하는 일은 매우 부자연스럽고, 본능적으로 꺼리는 것이 사실이다. 그래서 고해성사는 신자 대다수(물론 수도자와 성직자를 포함해)에게 심각한 도전으로 다가오며 무거운 과제로 남는다. 하지만 가톨릭 신자로서 모든 면에서 훌륭하다 하더라도 고해성사를 생활 속에 접목시키지 못하면 충만한 은총의 삶을 누릴 수 없다. 아니, 자신의 삶이 고해성사에 집중되지 않으면 진정한 자유를 누릴 수 없다.

저자는 장로교에서 가톨릭으로 개종한 신학자요 대학교수다. 프로테스탄트 교파들이 제법 확고한 '자기 정체성'을 가지고 있는 미국 종교계에서는 개종이 그리 흔한 일은 아니라고 알고 있다. 아무튼 그런 배경을 가지고 있는 저자가 가톨릭교회의 전통 중에서도 프로테스탄트들의 전통과 두드러지게 구별되는 고해성사와 그 은총에 대해 증언한다는 사실은 우리에게 시사하는 바가

각별하다.

저자는 고대 이스라엘의 역사, 구약과 신약, 초대교회의 문헌과 성인들의 삶을 통해 참회와 용서와 화해에 관한 교회 가르침을 상당히 깊이있고 알아듣기 쉽게 설명한다. 이 책은 고해성사의 성경적 근거와 역사적 발전 과정을 알려주는 이론서요, 고해성사를 부담스럽게 여기는 이들을 위한 실천적 안내서로 손색이 없다. 또한 제 잘못을 뉘우치고 마음속으로 하느님께 사죄드리는 것만으로 충분하다고 생각하는 사람들에게 고해성사의 진면목을 보여줄 것이다.

고해성사를 회피하는 사람은 나뭇잎을 엮어 몸을 가린 아담의 등뒤로 돌아가 숨는 사람과 같다. 하느님께서 "너, 어디 있느냐?"며 찾으시면 아담과 한목소리로 자기 변명과 하느님을 원망하는 말을 늘어놓을 것인가? 고해성사를 자주 보지 않는 자신을 언제까지 정당화시킬 것인가? 언제까지 자신을 기만할 것인가?

고해성사를 짐으로 생각하기보다 치유의 은총임을 경험하게 될 때 그리스도인은 하느님 안에서 자유롭게 될 것이다.

너희에게 새 마음을 주고 너희 안에 새 영을 넣어주겠다.
너희 몸에서 돌로 된 마음을 치우고,
살로 된 마음을 넣어주겠다.(에제 36,26)